T. Marin

A. Albano

PROGETTO ITALIANO

Junior

for English speakers

3

VOLUME 3

"Un amore"

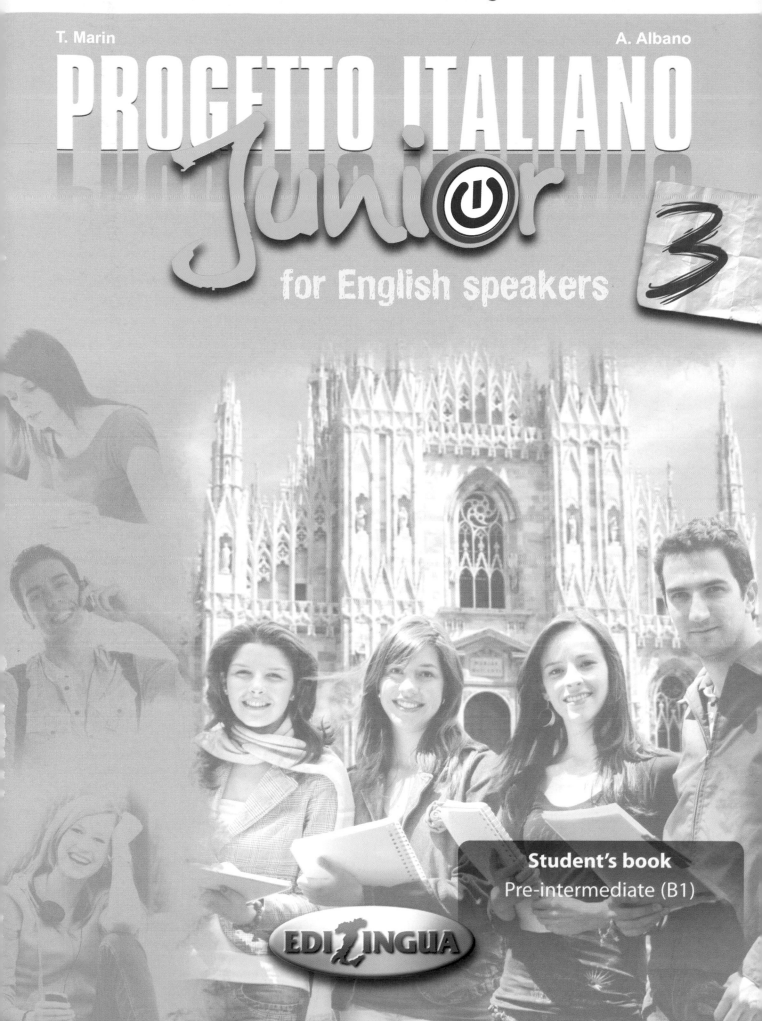

An Italian course for teenagers

T. Marin

A. Albano

PROGETTO ITALIANO
Junior
for English speakers

3

Student's book
Pre-intermediate (B1)

EDILINGUA

T. Marin, after a degree in Italian language studies, was awarded a Masters degree in ITALS (Italian teaching certification) at the University of Ca' Foscari in Venice and has gained much experience in teaching at various Italian language schools. He is the author of numerous educational books: *Progetto italiano 1, 2* and *3* (Student's book), *Progetto italiano Junior* (Student's book), *La Prova Orale 1* and *2, Primo Ascolto, Ascolto Medio, Ascolto Avanzato, l'Intermedio in tasca, Vocabolario Visuale* and *Vocabolario Visuale - Quaderno degli esercizi* and coauthor of *Nuovo Progetto italiano Video* e *Progetto italiano Junior Video*. He has held numerous seminars and trained teachers in over 30 countries.

A. Albano holds a Master Degree in Foreign Languages. She studied at IULM University in Milan, Italy. She is now a world language instructor at Gulf Coast High School in Naples, Florida. She was the recipient of the National Italian American Foundation Teacher of the Year Award for the school year 2004-2005, was nominated Collier County Teacher of Distinction for the school year 2008-2009 and selected as the 2010 Florida Teacher of the Year Nominee. She has held several educational seminars and presentations in the United States and Canada.

The authors and the publisher would like to thank the teachers who tried out this material before its publication and shared with us their precious feedback. In particular Flavia Fornili (Scuola Media Statale L. Majno - Milano), Valeria Lalli (Scuola Europea di Bruxelles II), Maria Carla Borgogni e Stefania Carella.
A special thanks goes to the editors and the graphic designers of Edilingua for an excellent job!

to my family
T. Marin

to my son Massimo Andrea
A. Albano

© **Copyright edizioni Edilingua**
Headquarters
Via Cola di Rienzo, 212 00192 Rome, Italy
Tel. +39 06 96727307
Fax +39 06 94443138
info@edilingua.it
www.edilingua.it

Depot and Distribution Centre
Moroianni Street, 65 12133 Athens, Greece
Tel. +30 210 57.33.900
Fax +30 210 57.58.903

1st edition: June 2012
ISBN: 978-960-693-112-3
Editing: L. Piccolo, A. Bidetti, M. Dominici
Translation: Beatrice Notarianni
Images: Edilingua archive
Layout and graphics: Edilingua
Illustrations: M. Valenti
Audio recordings - Video production: *Autori Multimediali*, Milano
Video scripts and activities: M. Dominici, T. Marin

Thanks to the adoption of our books, Edilingua adopts at distance children that live in Asia, Africa and South America. Because together we can do a lot against poverty! Learn more on what we do on our website ("Chi siamo").

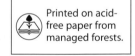

Printed on acid-free paper from managed forests.

The authors would value your suggestions, feedback and comments about the book (to be sent via email to redazione@edilingua.it)

Preface

The purpose of this book, in our opinion, is to fill a major gap in the Italian as a foreign language textbook market. Although *Progetto italiano Junior* is not the first course aimed at teenagers and older children, we believe (and it was certainly our objective) that it isn't merely a textbook *modified* for use by this age group, but that it has been specifically designed and created *for* them. And in our opinion, that makes an enormous difference. Indeed, the course is characterised by its continual references to the reality of daily life as experienced by young people today: artists, books, athletes, music, customs, hobbies, and so on. These references permeate all the units, stimulating students to develop an active interest in Italian culture and language.

How (and why) we set about achieving our objective

Every venture begins with an idea. Our idea, which was to produce a youth version of a textbook that has achieved huge international success, was born and took shape as a response to requests from numerous colleagues who have used *Nuovo Progetto italiano* with classes of teenagers for years. Teachers have repeatedly asked us for a version more suited to this particular age group. Edilingua always takes the views of Italian teachers seriously, so the first stage in the process was to gather feedback: a questionnaire, completed by hundreds of colleagues working around the world, allowed us to get a better understanding of their needs and of those of their students. Because, of course, people who teach teenagers know better than anyone else that their requirements are not the same as those of adults. Having analysed the data, and after much contemplation, it soon became clear that it would not be enough to simply make a few minor changes – at least not if a *truly effective book* was the required outcome. The next step was to analyse large amounts of material; in addition to websites and magazines for young people, we also looked at other textbooks (English, Spanish, French, German and Italian courses). As a consequence we amassed many ideas, which we assessed, condensed, adapted and personalised based on our experience in teaching Italian to teenagers. The result was a book with a unit structure that satisfied not just us, the authors, but everyone else involved (including the publishing editors).

The compilation of the book (which took several months) was followed by a period of testing and critical appraisal by colleagues in various countries, teachers in secondary schools. Their much appreciated feedback allowed us to revise and refine the content of the book you are now holding.

The book's philosophy

We have tried to find a solution to the problems associated with teaching teenagers and older children, by producing material that is highly motivating. This has been achieved by employing a wide variety of techniques and activities, requiring briefer and less demanding input (the tasks are always "achievable challenges"). The philosophy is one of discovery when exploring each new element (grammar, lexis, communication, etc.); game activities have been created that are easy to understand and fun to do.

A fundamental decision was to create a comic strip story that continues through all 18 units of the course. The story follows five main characters, a mix of boys and girls, who are complete individuals that students can identify with. The characters have the same interests as them, face the same problems, share the same concerns and experiences, and speak the way young people speak. The finished product is realistic, with just the right amount of humour.

Each unit is divided into two shorter units (or learning units), which in turn are subdivided into sections. Each of the two shorter units has its own structure and can stand alone, but remains linked to the other by the subject matter. For this reason we have called them "Part One" (*Prima parte*) and "Part Two" (*Seconda parte*), with each consisting of an aspect of Italian life and, more often than not, a comic strip. Positioned at the end of each unit's *Prima parte* is a symbol displaying the word "Stop", which advises students to carry out a short revision exercise and, once the whole unit is complete, there are some general self-assessment exercises for students to do. The purpose of the subdivisions is to make learning a more gradual process, in keeping with the spirit of a humanistic-affective approach.

The purpose of the *Progettiamo!* section, within the teen magazine *Conosciamo l'Italia* at the end of each unit, is to make students work together on brief, practical tasks. They communicate in Italian, putting into practice what they have learned by doing activities that embody the principles of project based learning and the Common European Framework of Reference for Languages. The purpose of the online activities, which can be found on the Edilingua website, is much the same.

What's new?

Based on the feedback we received it was clear that many elements of *Nuovo Progetto italiano*, above all its philosophy and structure, needed to be carried over into the youth edition. It would not have been a very clever move on our part to throw out ideas that had proven to be effective and largely well received. But we did not stop there. *Progetto italiano Junior* is not a "simplified" version of the original, but is a course that has been devised and created with young students in mind; it respects their learning patterns, their learning needs and, above all, their interests.

Aside from the features already mentioned, let us examine in more detail what *Progetto italiano Junior* has to offer: the sections on Italian life are structured like a teen magazine, with the news and information that interests teenagers; the grammar appendix (*Grammatica@junior*) explains each aspect of grammar studied clearly and concisely; very modern, dynamic graphics, designed to appeal to this age group, strike the right balance between comic strips and photos. Additionally, a colour Workbook containing game activities, a test at the end of each of its units, and varied exercises that reflect the methods of certifications such as Celi, Cils and Plida, has been combined with the Student's book to produce one, single volume; the glossary, available on line, is multilingual (English, French, German, Spanish, Portuguese and Serbian) making the course particularly suited to students from a wide range of countries; and, in addition to the listening texts, the audio CD contains dialogues and various authentic interviews with Italian teenagers to give students the opportunity to hear the opinions, feelings and experiences of their peers, as well as a variety of accents.

Finally, the video activities section (after the Workbook in the book) creates a direct link between the textbook course and the three *Progetto italiano Junior Video* DVDs. The activities relate to the three components of the DVD: film clips, interviews and quizzes. Following the same lexical and grammatical progression as the book, each film clip is a short story that usually takes place between the two dialogues of each unit, thereby completing them. In short, the clip can be watched either during the unit (as is suggested in the book) or as a stand-alone film as and when the school timetable allows. Either way, the film remains pertinent and of educational value.

The *Progetto italiano Junior* course is supported by a range of other materials designed to make your lessons easier and more stimulating. These are: a Teacher's Guide, with interesting ideas, advice and suggestions on how to use the book; a Music Blog (www.musicaperjunior.blogspot.com) where students will find, for each unit in the book, a video clip of a famous Italian song chosen with the unit's topic or grammar points in mind, and two or three activities that students can do on their own at home or in class; high quality Interactive Whiteboard Software that is simple, functional, intuitive and complete. This multimedia tool allows the various teaching mediums (CD, DVD, the course units, games, tests, etc.) to be used interactively and on a single platform, thus giving teachers enormous flexibility in how the lessons and classes are managed. The result is increased student participation, motivation and collaboration.

Stay connected to the Edilingua website, not only to access this new additional material, but to send us your comments and ideas; let us know what you think of the *Junior* series or of the materials you are already using, and whether there are other teaching materials you need.

Grazie e buon lavoro!
The authors

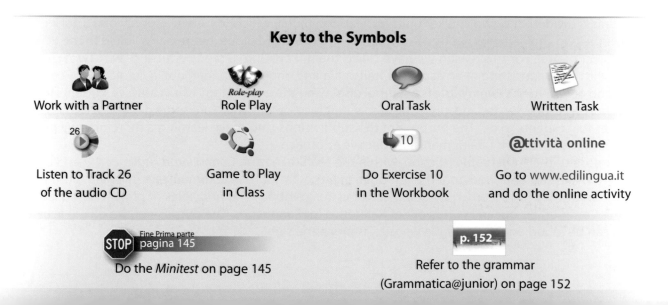

Key to the Symbols

Work with a Partner	Role Play	Oral Task	Written Task
Listen to Track 26 of the audio CD	Game to Play in Class	Do Exercise 10 in the Workbook	@ttività online Go to www.edilingua.it and do the online activity

STOP Fine Prima parte pagina 145

Do the *Minitest* on page 145

p. 152

Refer to the grammar (Grammatica@junior) on page 152

Glossary on page 169

1

a. Listen to the recording and take notes. Listen again and match the sentences to the function they perform.

a. dare consigli

b. esprimere disappunto

c. chiedere aiuto

d. esprimere un parere

e. offrire aiuto

f. dare istruzioni

g. proibire

h. dare indicazioni stradali

NON FUMARE
NO SMOKING
BITTE NICHT RAUCHEN
DEFENSE DE FUMER

VIETATO L'USO AI BAMBINI NON ACCOMPAGNATI
NO UNACCOMPANIED CHILDREN
KINDER NUR MIT BEGLEITUNG
AUCUN ENFANT SANS ACCOMPAGNATEUR

IN CASO DI INCENDIO
IN CASE OF FIRE
RISKIM BRANDFALL
EN CAS D'INCENDIE

NON USARE L'ASCENSORE
DO NOT USE THE LIFT
LIFT NICHT BENÜTZEN
NE PAS UTILISER L'ASCENSEUR

USARE LE USCITE DI EMERGENZA
PLEASE USE THE EMERGENCY EXIT
BITTE BENÜTZEN SIE DIE NOTÄUSGANGE
UTILISER LES SORTIES D'EMERGENCE

b. Write a sentence using one of the expressions you remember.

....

2   The following sentences are in the future tense. Match them to their function.

1. Se oggi continuerà a piovere, dovrò uscire con l'ombrello. •
2. Va bene: da domani ti scriverò ogni giorno. •
3. Ho l'impressione che arriveremo in ritardo. •
4. La prossima estate faremo un viaggio in Italia. •
5. – Che ore sono? – Mah, saranno le cinque. •

• a. fare progetti
• b. fare previsioni
• c. fare ipotesi
• d. fare promesse
• e. periodo ipotetico

3   Complete the sentences with the imperfect tense, the perfect tense or the pluperfect tense of the verbs in brackets.

1. Quando (*essere*) .... piccolo mi (*piacere*) .... giocare con mio fratello.

2. Marco non è potuto venire alla festa perché (*perdere*) .... l'indirizzo.

3. L'estate scorsa Sofia (*andare*) .... in vacanza al mare; l'anno prima, invece, (*andare*) .... in montagna.

4. Mentre Camilla e Alessia (*studiare*) .... italiano (*arrivare*) .... Luca.

5. Dino e Paolo non (*capire*) .... che l'appuntamento (*essere*) .... per ieri alle quattro.

4   Match a line on the left to one on the right.

1. – Domani non potrò essere dei vostri: devo studiare!
2. – Abbiamo vinto un viaggio in Italia!
3. – Domani veniamo a trovarvi!
4. – Sai che hanno scelto Dino come cantante del gruppo?
5. – Mettiti la gonna nera. È più adatta per la festa.
6. – È vero che domani andrai a Roma?

a. – No, non è vero.
b. – Sì, hai proprio ragione!
c. – Sì, ma non sono d'accordo.
d. – Peccato!
e. – Che fortuna!
f. – Che bella sorpresa!

5 Complete the sentences with direct or indirect object pronouns.

1. Se puoi, mi porti le riviste che hai già letto? [____] vorrei leggere anch'io.
2. – Ragazze, avete trovato chi [____] accompagnerà al concerto? – [____] accompagnerà Franco.
3. – Carlo suona la chitarra? – Sì, [____] suona da quando aveva dieci anni!
4. Voglio parlare con Alessia: nel pomeriggio [____] telefonerò.
5. Domani mia zia [____] porterà il libro che le ho chiesto.
6. – Pronto, [____] senti? – Sì, [____] sento perfettamente!

6 Put the words in the correct order to make sentences.

1. *prima entrare casa , di in toglietevi scarpe le .*
....

2. *non finestra aprire la : freddo fa .*
....

3. *domani noi , con andiamo vieni cinema al ?*
....

4. *e hanno non più Carla parlano e si litigato Laura .*
....

5. *sinistra qui a gira e per poi cento metri diritto va' .*
....

6. *dorme papà : zitto sta' e non rumore fare .*
....

7. *a Paolo che vediamo ci domani di' .*
....

8. *scorsa giorni allenati i tutti siamo la ci settimana .*
....

7 Solve the anagrams and then match the words to the appropriate picture, as in the example.

1. cicletabit   bicicletta
2. parscia   ....
3. tatracche   .... (da tennis)
4. ettaglima   ....
5. mandoteleco   ....
6. noforpiate   ....
7. tebatria   ....
8. futomet   ....

Check your answers on page 183 and...
welcome to *Progetto italiano Junior 3*!

Al cinema

Per cominciare...

1 Study these posters. What kind of films do you like best?

commedia

poliziesco

di fantascienza

thriller

d'avventura

d'amore

2 Listen to the dialogue and try to explain what is happening.

3 Listen to the dialogue again and choose the statements that are correct.

1. Paolo propone di vedere un film italiano.
2. Al cinema c'è molta gente.
3. "L'attacco" è un film di fantascienza.
4. Ad Alessia non piace Will Smith.
5. Chiara ha già visto il nuovo film di Benigni.
6. A Dino piacciono molto i film polizieschi.

In this unit...   Glossary on page 169

1. ...we are going to learn to say and ask for things politely; to express desires, personal opinions and unfulfilled desires; to give advice, relay someone else's opinion and refer to the future from the past, and to talk about cinema;

2. ...we are going to learn to use the conditional and the conditional perfect tenses;

3. ...we will find information on Italian cinema, both past and present.

A Lo vedrei volentieri!

1 Read and listen to the dialogue to check your answers to the previous activity.

PAOLO, GUARDA, IL FILM CHE DICEVI TU È APPENA INIZIATO!

MANNAGGIA! PAZIENZA, NE SCEGLIAMO UN ALTRO!

SÌ, MA DOBBIAMO SBRIGARCI, C'È ANCHE LA FILA.

ALLORA, VI PIACEREBBE VEDERE "L'ATTACCO" CON WILL SMITH?

MA COS'È? UN ALTRO FILM D'AVVENTURA?

VERAMENTE È FANTASCIENZA. I SUOI FILM A ME PIACCIONO MOLTO.

IO INVECE STAVOLTA VORREI VEDERE QUALCOSA DI MENO VIOLENTO. PERCHÉ SICURAMENTE CI SARÀ QUALCUNO CHE ATTACCA LA TERRA O QUALCOSA DI SIMILE.

QUASI: SMITH È SULLA STAZIONE SPAZIALE E...

NO, GRAZIE. RICORDO L'ULTIMO FILM CHE CI HAI PORTATI A VEDERE! ANZI, ORA CHE CI PENSO, NON MI RICORDO QUASI NIENTE!

IO L'HO VISTO CON MIA SORELLA. BELLISSIMO, RAGAZZI!

DAI, LASCIAMO PERDERE. CI SAREBBE SEMPRE L'ULTIMO DI BENIGNI, ALLE 8.

QUINDI NON POSSIAMO VEDERLO. POTREMMO INVECE VEDERE "MEGLIO DA SOLO" CON RAUL BOVA.

CERTO, È UN FILM POLIZIESCO! PERCHÉ NO? E POI LUI È BRAVISSIMO, VERO?

"AMORI DIFFICILI" CON PENELOPE CRUZ NON INTERESSA A NESSUNO?

IO LO VEDREI VOLENTIERI, MA... PREFERISCO BOVA. ANDIAMO?

2 Work with a partner. Read the dialogue: one of you will read out the male 'roles' and the other the female ones.

3 Work with a partner. Complete the sentences using the words highlighted in blue in the dialogue.

1. No, non ho visto Luca oggi... .... è da una settimana che non lo vedo!

2. Mario ti ha lasciata? ....! Almeno adesso potrai vedere di più le tue amiche.

3. Cercava un libro sulla storia degli Oscar o ...., non ho ben capito.

4. – Ho finito, ti va ancora di vedere quel DVD? – ...., ormai è tardi.

4 Answer the following questions.

1. Perché i ragazzi devono decidere in fretta quale film vedere?

2. Cosa pensa Alessia della proposta di Paolo?

3. Cosa pensa, invece, Chiara del film che hanno visto la volta scorsa?

4. Perché non scelgono il film di Benigni?

5. Alla fine, quale film scelgono e perché?

5 The teenagers are almost at the front of the queue but still seem undecided. Complete their conversation with the words provided.

piacerebbe	potremmo	vorrei	sarebbe	vedrei

Dino: Caspita! Un attimo, ragazzi. Ci ....(1) anche quel film d'animazione: è in 3D. Io ....(2) vederlo, voi?

Alessia: Dai Dino, non ricominciamo, abbiamo già deciso.

Dino: Ma facciamo qualcosa di diverso ogni tanto! Si basa su un noto videogioco. Io lo ....(3) volentieri.

Chiara: L'abbiamo capito! Un videogioco: sicuramente pieno di violenza e sangue.

Giulia: Ma veramente ti ....(4) vedere una cosa del genere? Ci giochi già a casa, non ti basta?

Dino: No! Senti, Paolo, che ne dici, ...(5) venire a vederlo domani, no?

Paolo: Vedremo, Dino, sai che non abbiamo gli stessi gusti. Piuttosto, questi biglietti li vogliamo fare o no? C'è gente che aspetta...

The verbs you have used are in the conditional tense. In your opinion, when is the conditional used?

6 Complete the table.

Condizionale semplice

	Parlare	Leggere	Preferire
io	parlerei	leggerei	....
tu	parleresti	leggeresti	preferiresti
lui, lei, Lei	parlerebbe	....	preferirebbe
noi	....	leggeremmo	preferiremmo
voi	parlereste	leggereste	preferireste
loro	parlerebbero	leggerebbero	preferirebbero

p. 150

7 Make sentences using the conditional tense.

1. Qui fanno del gelato buonissimo! Noi ne *(prendere)* volentieri uno! Voi?
2. Al posto tuo *(io-studiare)* di più la prossima volta.
3. Nessuno *(credere)* a questa storia, forse è meglio dire la verità.
4. Lascia perdere, non provarci! Caterina non *(uscire)* mai con te!
5. Ragazze, voi *(mettersi)* mai un vestito come questo?

8 What do verbs in the conditional tense remind you of? The future tense, of course! Indeed, verbs that are irregular in the future tense are also irregular in the conditional tense. With a partner, link each infinitive to the correct future and conditional forms.

Verbi irregolari al condizionale

Infinito	Futuro	Condizionale
essere	andrò	andrei
avere	dovrò	sarei
dare	darò	vorrei
fare	sarò	farei
dovere	vorrò	potrei
potere	avrò	avrei
andare	farò	darei
volere	potrò	dovrei

p. 150

1 - 6

B Preferirei rimanere a casa ...

 1 Listen to the mini dialogues and match each to a photo. Be careful, though: there are two photos missing!

 2 Listen to the dialogues again and complete the table with the expressions used, as in the example.

Esprimere un desiderio	Chiedere qualcosa in modo gentile
preferirei rimanere a casa	

3 Work with a partner. For each of the following situations produce short conversations where each of you expresses what you would like to do.

- *C'è un concerto importante in una città vicino alla vostra.*
- *Avete molta fame.*
- *In città fa molto caldo.*
- *Presto cominceranno le vacanze estive.*
- *Dovete studiare, ma siete troppo stanchi.*

C Io al posto tuo...

1 Listen to the mini dialogues. Match the sentences to their correct function. More information on using the conditional tense can be found on page 150.

	Dare consigli	Esprimere un'opinione personale	Riportare un'opinione altrui
1			
2			
3			
4			
5			
6			
7			
8			

2 Listen again, but only to the sentences that express a personal opinion or the opinion of someone else. With a partner, try to write two sentences, one for each of these functions.

....

....

3 Now listen again to the conversations to do with giving advice. Then, with your partner, give each other advice for each of the following situations, where one of you ...

1. ha un solo sogno: diventare attore

2. vuole imparare l'italiano

3. non sa cosa regalare a un amico che compie 18 anni

4. non sa quale film andare a vedere

7 e 8

STOP Fine Prima parte pagina 144

A ...L'hai visto quello?

Work with a partner. Read the dialogue and try to work out which words are missing.

ALLA FINE MI SA CHE ABBIAMO FATTO ...., VERO RAGAZZI?

INFATTI. NON IMMAGINAVO CHE SAREBBE STATO COSÌ BELLO.

SÌ, SÌ. MA IO NON HO CAPITO UNA COSA: PERCHÉ LA RAGAZZA .... CHE L'AVREBBE SPOSATO E POI HA CAMBIATO IDEA?

MA È STATO LUI A TIRARSI INDIETRO, NON TI RICORDI?

AH... PERCHÉ... LAVORAVA TROPPO, NO?

MACCHÉ... .... CHE I TRAFFICANTI DI DROGA LE AVREBBERO FATTO DEL MALE.

MA... LUI NON COLLABORAVA CON I TRAFFICANTI?

EHI, DINO! MA NON È CHE PER CASO SEI ENTRATO NELLA SALA SBAGLIATA? LUI ERA UN AGENTE SEGRETO E .... CHE LI AVREBBE MESSI IN CARCERE! MA NON RICORDI NIENTE?!

VERAMENTE MI SONO ADDOMENTATO UN ATTIMO E FORSE HO PERSO QUALCOSA.

SÌ, METÀ DEL FILM. AVRESTI DOVUTO .... IERI!

DAI, ANDIAMO A MANGIARE QUALCOSA, CHE DITE? COSÌ SI SVEGLIA PURE DINO.

GIULIA, ...? TI GUARDA DA QUANDO SIAMO USCITI DALLA SALA.

SÌ, L'HO NOTATO ANCH'IO... È NELLA NOSTRA SCUOLA, CREDO, È NUOVO.

AH, PERÒ... COMUNQUE, CARINO, NO?

 2 Listen to the dialogue to see whether you were right. Who in the class managed to get closest to the original text?

 3 Write answers to the following questions. Then, if necessary, listen to the dialogue again.

1. La coppia del film perché non si è sposata?

....

2. Cosa aveva giurato il protagonista?

....

3. Che cosa non ha capito Dino?

....

4. Cosa nota Alessia quando escono dalla sala?

....

4 Complete the following sentences with two of the expressions highlighted in blue from the dialogue.

1. Inizialmente l'idea gli piaceva molto, ma quando ha sentito il costo si ....

2. Hai visto .... Eduardo? È sparito!

5 Some of the verbs in the dialogue are in the conditional perfect tense. Can you find them?

6 Study the table and answer the questions, as in the example.

<table>
<tr><th colspan="5">Condizionale composto</th></tr>
<tr><td>avrei
avresti
avrebbe
avremmo
avreste
avrebbero</td><td>visto</td><td>il film,
ma era già
cominciato</td><td>sarei
saresti   uscito/a
sarebbe
─────────
saremmo
sareste   usciti/e
sarebbero</td><td>ma pioveva</td></tr>
</table>

p. 151

Non hai mangiato l'insalata? *(non avevo fame)* ⇨ *L'avrei mangiata, ma non avevo fame.*

1. Stefania, perché non ti sei alzata alle sette? *(non è suonata la sveglia)*
2. Come mai non hai invitato Paola? *(non l'ho vista)*
3. Ragazzi, come mai non avete fatto il test? *(siamo arrivati tardi)*
4. Perché non siete andati allo stadio? *(non avevamo il biglietto)*

9 e 10

B Sarei venuta al cinema...

1 Listen and decide which sentences (1-8) express a desire that was not fulfilled.

1 ☐   2 ☐   3 ☐   4 ☐

5 ☐   6 ☐   7 ☐   8 ☐

2 What do you think the other sentences express? Listen again to check whether you are right.

3 For each of the following situations give some advice ("tu ...") or express a desire ("io ..."), using the conditional perfect tense.

1. I tuoi amici sono andati al mare, ma tu dovevi studiare...

2. L'insegnante vi aveva parlato di una vacanza studio in Italia, ma costava troppo.

3. Non sei andato a una festa e poi hai saputo che c'era la ragazza che ti piace...

4. I biglietti per un grande concerto di musica rock sono già esauriti!

5. Ieri alla TV c'era un film italiano che volevi tanto vedere.

6. Hai speso i soldi che avevi messo da parte per comprare la nuova Playstation.

4 The conditional perfect tense is also used to "refer to the future from the past"; in other words, to indicate that at a point in the past reference was made to an action in the future.

Esprimere il futuro nel passato

1		2
OGGI (FUTURO)		IERI (PASSATO)
Nino dice che passerà.	⇨	Nino **ha detto** che **sarebbe passato**.
Spero che mi chiamerai.	⇨	**Speravo** che mi **avresti chiamato**.
Sono sicuro che ci andrai.	⇨	**Ero sicuro** che ci **saresti andato**.

p. 151

 11 e 12

C Vocabolario e abilità

1 Using words from the list provided on page 17, complete the plot of the well-known Italian film "Caterina va in città", released a few years ago.

Il film, con amara ironia descrive la società italiana vista da una classe di alunni di terza media. Protagonista è Caterina, una timida ....(1) che vive in un piccolo paese. Suo padre insegna alle superiori mentre sua madre fa la casalinga. Il padre però, insegnando a delle classi di alunni svogliati e maleducati, ...(2) di chiedere il trasferimento a Roma. Così Caterina, che deve fare la terza media, pochi giorni prima dell'inizio della scuola, si trasferisce a Roma con la sua famiglia. La sua nuova classe è divisa a metà: da una parte ragazzi che simpatizzano per la sinistra, capeggiati da Margherita, dall'altra un ....(3) di ragazze che simpatizzano per la destra e hanno come leader Daniela. Caterina viene a contatto con delle ideologie che prima non aveva ....(4) sentito nominare. Prima vive una forte amicizia con Margherita. Poi, quasi senza capirlo, passa nel mondo di Daniela, il mondo delle feste e del lusso. Nascono anche i ....(5) amori per Caterina: prima un cugino snob di Daniela, che la madre di lui con una scusa, fa allontanare da Caterina. S'innamora poi di Edward, ragazzo australiano che abita nell'appartamento di ....(6) al suo. Caterina rompe anche col mondo di Daniela quando viene a sapere che lei e le sue amiche la considerano una "sfigata" e all'antica. Il film si conclude con il superamento dell'esame di terza media da parte di Caterina e la realizzazione del suo ....(7): entrare al conservatorio.

adattato da www.it.wikipedia.org

1	signorina	anziana	adolescente	signora
2	decide	comincia	dice	vuole
3	minimo	numero	club	gruppo
4	neanche	anche	spesso	né
5	molti	primi	tanti	certi
6	dietro	fronte	davanti	sotto
7	pensiero	progetto	studio	sogno

2 **Lessico. Add the words in blue to the picture on the left and those in red to the one on the right:** fila regista botteghino attore locandina del film attrice protagonista riflettori premio macchina da presa.

13

3 **Parliamo**

1. Andate spesso al cinema, o no? Perché? Come scegliete il film da vedere?
2. Qual è il vostro film preferito e perché? Cercate di raccontare in breve la trama.
3. Secondo voi, è lo stesso vedere un film al cinema e alla TV? Motivate le vostre risposte.
4. Cosa sapete del cinema italiano (attori, registi, film)? Scambiatevi informazioni.

4 **Ascoltiamo** (turn to the Workbook, page 98)

5 Scriviamo   _ ▢ ✕

Scrivi a un amico italiano e raccontagli in breve la trama di un film che hai appena visto e che ti è piaciuto tantissimo. Parla degli attori protagonisti, della loro interpretazione e aggiungi informazioni per te importanti (regia, musica, scenografia). *(80-100 parole)*

Test finale   17

Conosciamo l'ITALIA

Il cinema italiano

Il cinema italiano è molto apprezzato a livello internazionale. Il *Neorealismo*, un genere cinematografico nato in Italia negli anni '50 ne è uno dei motivi. La *commedia italiana* è un altro genere che ha avuto molto successo. Grandi interpreti, registi, produttori, compositori italiani hanno influenzato il cinema mondiale. In tutto gli Oscar "italiani" sono finora ben 47 (14 per il miglior film straniero), mentre le candidature italiane 165. Non male!

Una scena dal bellissimo "La vita è bella"

Il regista **Gabriele Salvatores** ha vinto nel 1992 il premio Oscar per il miglior film straniero con "Mediterraneo".

Andare al cinema resta uno dei passatempi preferiti dei ragazzi italiani, nonostante la grande concorrenza della televisione e del computer. Le multisale, spesso vicino o all'interno di grandi centri commerciali, attirano non solo gli adolescenti, ma anche gli adulti.

Negli ultimi anni sono parecchi i film che hanno come attori e attrici giovani protagonisti. Ad esempio, "Notte prima degli esami".

I grandi di ieri e di oggi

1 What do you know about Italian cinema? With a partner, as in the example, match the following descriptions to the correct personality to discover just how much of a cinema buff you really are!

A Napoletana, simbolo della bellezza mediterranea. Ha vinto due Oscar e ha recitato spesso accanto a Marcello Mastroianni.

B Attore comico e regista toscano. Ha vinto tre Oscar (compreso quello come miglior attore) con "La vita è bella".

C Protagonista di oltre 150 film e tre volte candidato al premio Oscar, era l'attore preferito di Federico Fellini e per molti anni è stato il volto italiano più famoso nel mondo.

D Regista di film famosi come "La dolce vita" e "Otto e mezzo". Quattro Oscar per la regia e uno alla carriera fanno di lui una leggenda del cinema mondiale.

E Sicuramente deve la sua grande carriera internazionale anche alla sua straordinaria bellezza. Ha recitato in tanti film italiani, francesi e americani, come ad esempio "Matrix".

F Il suo "Ultimo imperatore" ha vinto 9 Oscar! Molto conosciuto anche "Piccolo Buddha".

G Dopo diversi film di successo in Italia, ha diretto bellissimi film a Hollywood ("La ricerca della felicità" e "Sette anime"), collaborando spesso con Will Smith!

H Uno degli attori più amati dai (e soprattutto, dalle) teenager in Italia, anche perché protagonista di film giovanili come "Tre metri sopra il cielo" e "Ho voglia di te".

1. Riccardo Scamarcio

2. Marcello Mastroianni

3. Roberto Benigni

4. Bernardo Bertolucci

5. Monica Bellucci

6. Federico Fellini

G 7. Gabriele Muccino

8. Sofia Loren

Molto importante è inoltre il contributo al cinema di numerosi artisti italoamericani: ad esempio registi come Martin Scorsese e Francis Ford Coppola o attori come Robert De Niro, Al Pacino, John Travolta, Sylvester Stallone e Leonardo di Caprio!

Leonardo Di Caprio

2 Go to the website for online @ctivities on Italian cinema.

3 Pr⚙gettiam⚙!

1 Lavorate a coppie. Organizzate a scuola una giornata dedicata al cinema italiano! Scegliete uno o due dei personaggi di queste pagine e presentateli alla vostra classe: brevi informazioni, i migliori film e, soprattutto, una scena rappresentativa (da YouTube). Alla fine la classe voterà il personaggio che ritiene più importante!

2 A piccoli gruppi, realizzate il vostro film, o meglio la vostra scena! Selezionate una famosa scena del cinema italiano o internazionale e "giratela", in italiano, in maniera quanto più "professionale" possibile. Prima di recitarla (o, se preferite, di girarla) in classe, raccontate, sempre in italiano, ai vostri compagni la trama del film fino alla scena che rappresenterete.

Autovalutazione

What do you remember from Unit 1?

1. Sapete...? Match the two columns.

1. dare consigli
2. riportare un'opinione altrui
3. esprimere un desiderio
4. chiedere qualcosa in modo gentile
5. esprimere il futuro nel passato

a. Pensavo che saresti venuta con me.
b. Mi presteresti il libro di italiano?
c. A quanto dicono, questo dovrebbe essere un bel film.
d. Dovresti studiare di più!
e. Mangerei volentieri una pizza.

2. Which word or expression is the odd one out?

1. sala cinematografica, regista, attrice, poliziesco, chitarra
2. attore, Hollywood, biglietto, videogioco, Oscar
3. mangeremo, andrei, saresti uscito, avrebbero visto, scriverebbe
4. botteghino, locandina, stivali, riflettori, trama
5. premio, protagonista, bistecca, commedia, thriller

3. Complete the sentences with the conditional or the conditional perfect tense of the verbs in brackets.

1. Ieri (io – *uscire*) .... con voi, ma pioveva.
2. Lucia, per favore, mi (*portare*) .... un bicchiere d'acqua?
3. Qualche anno fa pensavo che Luca (*diventare*) .... un famoso chitarrista.
4. Domani Elena (*andare*) .... volentieri al cinema a vedere l'ultimo film di Benigni.
5. Alessia (*partecipare*) .... al provino, ma aveva la febbre.

4. Solve the anagrams and then match the definitions to the words you have revealed.

1. Personaggio principale:
2. Locale dove il pubblico può guardare un film:
3. Biglietteria del cinema:
4. Piccolo cartello pubblicitario di un film o di uno spettacolo:

a. .... la sa ne ci ma to gra ca fi
b. .... na di lo can
c. .... sta pro go ta ni
d. .... te no bot ghi

Check your answers on page 183.
Are you satisfied?

Pantheon, Roma

Per cominciare...

 1 With a partner, imagine your-selves in the following situa-tion: you want to get to know a boy/girl. What original or amusing opening line would you use? How would he/she respond? Fill in the speech bubbles. Let's see whether or not boys and girls come up with similar or very different opening lines!

 2 Listen to the dialogue: what title would you give it? Exchange ideas with your classmates.

 3 Listen again and choose the correct answer in each case.

1. Il ragazzo chiede a Giulia
   a. come si chiama
   b. qual è il gruppo che sta ascoltando
   c. qual è la canzone che sta ascoltando

2. Inoltre, il ragazzo chiede a Giulia
   a. il CD
   b. la canzone
   c. il suo numero di telefono

3. Giulia non sembra molto esperta di
   a. tecnologia
   b. musica
   c. cinema

4. Gli "Zero Assoluto" sono
   a. il gruppo preferito di Stefano
   b. un gruppo che piace a Stefano
   c. un gruppo che Stefano odia

In this unit... Glossary on page 170

1. ...we are going to learn how to apologise, respond to an apology and ask why; to talk about university and various professions;

2. ...we are going to learn to use combined pronouns;

3. ...we will find information on the best universities in Italy, and on the professions of today and of the future.

A Te le potrei dare, se vuoi...

Work with a partner. Try to complete the dialogue by adding the lines provided on page 23. Listen to the dialogue again to check your answers.

22

DAI, VEDIAMO...
POSSO? SÌ, SI PUÒ
FARE. UN ATTIMO...
ECCO FATTO. GRAZIE!

a

SÌ, PIACERE. COME
FAI A SAPERE IL MIO
NOME?

b

MOLTO... EH, MI SA
CHE DOBBIAMO EN-
TRARE... CI VEDIAMO
DOPO.

c

DAVVERO? MI PIAC-
CIONO MOLTO. ME LA
POTRESTI DARE PER
CASO?

d

2 Complete the sentences with three of the expressions highlighted in blue in the dialogue.

1. Dammi un secondo che salvo questo testo e poi andiamo... ....!

2. Anna innamorata di Tiziano?! .... non la conosci bene... lei è pazza di Luca!

3. .... dire una cosa del genere? ! Lo sai che non è vero!

3 In some of the sentences in the dialogue on page 22 there are two pronouns together, one after the other. Can you find them?

4 At break time, Giulia approaches Stefano. Complete the dialogue with the words provided. Be careful, though: there is one expression more than is needed!

me la racconti   **te li posso**   **mandartela**   **ce li presta**   **me la mandi**

> *Giulia:* Scusa, ma non ho capito: gli "Zero Assoluto" ti piacciono o no?
>
> *Stefano:* Sì, dai, non sono male. I primi album erano migliori però, no? Gli ultimi li conosco meno.
>
> *Giulia:* Mah, comunque se non ce li hai, ...(1) dare io. Ho tutto di loro!
>
> *Stefano:* Davvero? Io, invece, vado matto per Ligabue! Grande! Guarda: dal suo ultimo concerto!
>
> *Giulia:* Non mi dire che eri lì! Fantastico!
> Ma eri vicinissimo al palco! Bella foto, ...(2) con un sms?
>
> *Stefano:* Ok, ma per ....(3) mi dovresti dare il tuo numero di cellulare.
>
> *Giulia:* Certo: 338 4512786... Grazie!
>
> *Stefano:* Adesso la dovresti ricevere... Ahia, dobbiamo rientrare... ciao.
>
> *Giulia:* Ciao! Ma la prossima volta ....(4) la storia del concerto?
>
> *Stefano:* Va bene...

5 Give an oral summary of the dialogue on page 22.

6 The following sentences were in the last dialogue (A4). With a partner, briefly explain what the pronouns in red and blue refer to, as in the examples.

Giulia: ...te li posso dare io
a te, gli album

Giulia: ...me la mandi con un sms?
a me, ...

Stefano: ...ma per mandartela
....

Giulia: ...la prossima volta me la racconti
....

7 You may have noticed that indirect object pronouns change in a particular way when they join with direct object pronouns and with *ne*. Complete the table choosing from: me le, te le, ve lo, te lo.

Pronomi combinati

Eva, mi dai un attimo il tuo libro?	(mi+lo) ⇨	Me lo dai un attimo?
Ti devo portare le riviste domani?	(ti+le) ⇨	.... devo portare domani?
Presterò a Luigi la mia bici.	(gli+la) ⇨	Gliela presterò.
Chiederò a Elena le foto.	(le+le) ⇨	Gliele chiederò.
Ci puoi raccontare la trama del film?	(ci+la) ⇨	Ce la puoi raccontare?
Vi consiglio il tiramisù.	(vi+lo) ⇨	.... consiglio.
A Gianni e Luca regalerò questi DVD.	(gli+li) ⇨	Glieli regalerò.
Professore, Le faccio vedere quel sito?	(Le+le) ⇨	Glielo faccio vedere?
Mi vuoi parlare dei tuoi problemi?	(mi+ne) ⇨	Me ne vuoi parlare?
Gli preparerò una copia del videogioco.	(gli+ne) ⇨	Gliene preparerò una copia.

p. 151

Note: As you can see, the third person singular indirect object pronouns (*gli, le, Le*) and *gli* (plural) become *gli* and add an *e* to form, with direct object pronouns and with *ne*, a single word: *glielo, gliela, gliel', glieli, gliele, gliene.*

8 Answer the questions, as in the example.

Spiegherai tu la situazione a Gianni ? ⇨ Sì, gliela spiegherò io.

1. Mi manderai le foto che avete fatto?

2. Regalerai questa sciarpa a tua sorella?

3. Darai a Paolo il tuo numero di telefono?

4. Ci prestereste le vostre cuffie?

1 - 5

B Scusa!

1 Listen to the mini dialogues (a-e) and match each to a picture (1-6), leaving one picture unused. Why is each person apologising?

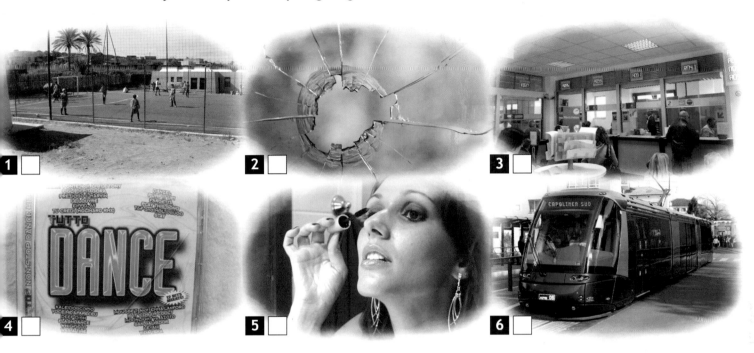

1 ☐ **2** ☐ **3** ☐

4 ☐ **5** ☐ **6** ☐

2 Do you remember which of the following expressions you heard? Underline them. Listen again to check whether you are right, and to check your answers to the previous activity.

Scusarsi	**Rispondere alle scuse**
Chiedo scusa!	Prego!
Mi scuso del comportamento...	Figurati!
Scusami!	Non importa...
Scusa! / Scusi!	Si figuri!
Mi scusi, signora!	Non fa niente!
Scusate il ritardo!	
Ti/Le chiedo scusa!	

3 ⊃ Person *A*: apologise to *B* for the following: ⊃ Person *B*: respond to *A*'s apologies.

Role-play

- *sull'autobus gli/le calpesti un piede*
- *hai dimenticato che ieri era il suo compleanno*
- *hai perso un libro che ti aveva prestato*
- *per sbaglio cancelli una foto che aveva nel cellulare*
- *mentre cammini distratto per strada gli/le vai addosso*

 6

C Sarei potuto diventare...

1 Read the following texts. Which of the celebrities have a degree, and in what subject?

Gabriele Muccino (regista). Mi sono iscritto alla facoltà di Lettere alla Sapienza di Roma; non perché volevo fare l'insegnante, ma perché c'erano materie che mi piacevano. Ma per seguire la mia passione, il cinema, ho dovuto abbandonare gli studi.

Natalie Portman (attrice). A 10 anni recitavo già in film. Ma una persona deve studiare, deve imparare. Siccome mi piace capire le persone, aiutarle se posso, ho studiato psicologia. Per fortuna ho preso la laurea prima di diventare famosa.

Johnny Depp (attore). Ho comprato un palazzo veneziano del 17esimo secolo. Adoro l'architettura italiana ed europea! Ogni angolo è un pezzo di storia. Mi piacerebbe poter disegnare un bell'edificio, ma non ho le conoscenze o il genio di un architetto...

Vasco Rossi (cantante). Inizialmente mi sono iscritto a Economia e commercio: non mi piaceva per niente! Quindi mi sono iscritto a Pedagogia, a Bologna. A 8 esami dalla laurea ho voluto dedicarmi alla musica. Se sarei diventato un bravo maestro? Non ho dubbi: no!

Andrea Bocelli (tenore). Quando mi sono iscritto a Giurisprudenza, a Pisa, molti dicevano che una persona non vedente non sarebbe riuscita a laurearsi. Ma ce l'ho fatta. Sarei anche potuto diventare avvocato, ma la passione per la musica era troppo forte.

Penélope Cruz (attrice). Sono diventata attrice molto giovane. Ammiro altri attori, ma di più ammiro i medici: vorrei anch'io essere capace di salvare vite, aiutare i malati. Ma non credo che sarei riuscita a finire Medicina...

2 With a partner, complete the names of the professions depicted and then match each to the relevant university faculty on the left, as in the example. There are two faculties more than you need!

Medicina **6**

Odontoiatria

Ingegneria

Giurisprudenza

Architettura

Psicologia

Lingue

Lettere

 7

3. p _ _ _ _ _ _ _ _

1. a _ _ _ _ _ _ _ _

2. d _ _ _ _ _ _ _ _

6. c h i r u r g o

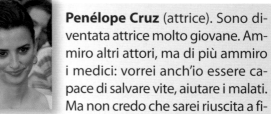
4. i _ _ _ _ _ _ _ _ _ di storia

5. a _ _ _ _ _ _ _ _ _

A Chi te l'ha detto?!

Study the following comic strip and, without reading the text, try to tell the story and say what the girls are talking about.

(la Rinascente) ALLORA? DI COSA AVETE PARLATO?

ALL'INIZIO MI HA CHIESTO UNA CANZONE E GLIEL'HO DATA.

E POI? DAI! COME SI CHIAMA?

STEFANO...

STEFANO SEMPLICI. E SUO PADRE È VETERINARIO.

CHI TE L'HA DETTO?!

ME L'HA DETTO ANNA, DELLA TERZA B.

E NIENTE, DOPO LA LEZIONE ABBIAMO PARLATO ANCORA UN PO'... È MOLTO SIMPATICO.

SOLO SIMPATICO? COMUNQUE, C'È UN PROBLEMA... FUMA!

MANNAGGIA! SAPETE CHE A ME IL FUMO FA SCHIFO! MA SEI SICURA? NON HA FUMATO PER NIENTE.

BOH, FORSE HA SMESSO...

IL SUO CELLULARE TE L'HA DATO? COS'ALTRO AVETE DETTO? RACCONTA!

ABBIAMO PARLATO DEL FUTURO ECC. VUOLE DIVENTARE GRAFICO O PITTORE...

CERTO: PRIMA TI FISSA AL CINEMA, POI ATTACCA DISCORSO CON LA SCUSA DELLA MUSICA E INFINE TORNATE A CASA INSIEME... IL CLASSICO AMICO!

QUINDI DISOCCUPATO!

MA VA'... OH, CALMA, RAGAZZE, NON SIGNIFICA NIENTE. È SOLO UN AMICO.

2 Listen to the dialogue and check whether you were right.
Then, read the questions below and answer them.

1. Cosa vogliono sapere all'inizio Chiara e Alessia?
2. Cosa sa Alessia di Stefano? Chi gliel'ha detto?
3. Che problema c'è, secondo Alessia?
4. Di che cosa hanno parlato Giulia e Stefano?
5. Che lavoro vuole fare Stefano? Cosa ne pensa Alessia?
6. Secondo voi, cosa intende Chiara quando dice "il classico amico"?

3 Listen to the dialogue again. Match the following expressions to ones highlighted in blue
in the dialogue.

1. che peccato, che sfortuna! ....

2. mi dà molto fastidio, non lo sopporto ....

3. non mi prendere in giro! ....

4. inzia a parlare con qualcuno ....

4 Study these sentences taken from the dialogue: "mi ha chiesto una canzone e gliel'ho
data", "Chi te l'ha detto?!", "Me l'ha detto Anna", "Il suo cellulare te l'ha dato?" and
then complete the following table with a and i.

I pronomi combinati nei tempi composti

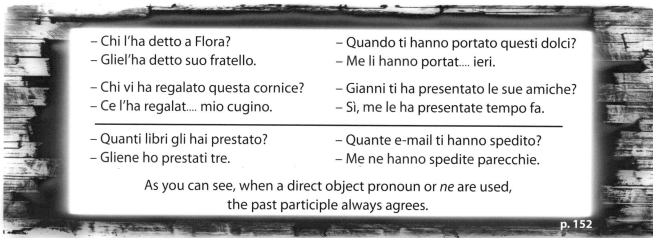

– Chi l'ha detto a Flora?
– Gliel'ha detto suo fratello.

– Quando ti hanno portato questi dolci?
– Me li hanno portat.... ieri.

– Chi vi ha regalato questa cornice?
– Ce l'ha regalat.... mio cugino.

– Gianni ti ha presentato le sue amiche?
– Sì, me le ha presentate tempo fa.

– Quanti libri gli hai prestato?
– Gliene ho prestati tre.

– Quante e-mail ti hanno spedito?
– Me ne hanno spedite parecchie.

As you can see, when a direct object pronoun or *ne* are used,
the past participle always agrees.

p. 152

5 Answer the following questions using the words in brackets to help you.

1. Chi ha prestato la bici a Tommaso? *(suo fratello)*
2. Quando ti ha restituito i soldi che ti doveva? *(stamattina)*
3. Vi hanno portato tutte le foto della festa? *(solo alcune)*
4. Chi ha dato la password a Michele? *(io)*
5. Quanti sms ti ha mandato Pina oggi? *(venti)*

 8 - 10

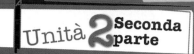
B Ma perché...?

1 Work with a partner. You are faced with the following situations and would like an explanation. What would you ask each person? Compare your answers to those of others in the class.

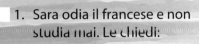

1. Sara odia il francese e non studia mai. Le chiedi:

2. Nicola sembra di nuovo molto stanco. Gli domandi:

3. Hai saputo che Antonio ha litigato con Giorgia. Gli chiedi:

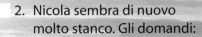

4. Alla festa di Paola mancava solo Gianni. Gli domandi:

5. Gli esercizi d'italiano sono difficili, ma Irene non ti aiuta. Le chiedi:

2 Now listen to the questions actually asked and match them to the appropriate situation. Did anyone in the class ask similar questions?

3 Listen to the questions again and write down the expressions that can be used to ask why. Then, choose one and make a sentence with it.

Chiedere il perché

....

....

....

11

C Vocabolario e abilità

1 Read the title of this article. What happened, do you think? Compare your ideas to those of others in the class.

2 Have a quick look (10-20 seconds) at the text on page 30. Were you right?

Alla BBC per un colloquio di lavoro
Va in diretta scambiato per l'ospite

LONDRA – Famoso per caso! È ciò che è successo a un giovane che si è presentato presso gli studi della BBC per un colloquio di lavoro e invece, per errore, è finito davanti alle telecamere!

Guy Goma voleva solo proporsi come elettricista. Invece: "È successo tutto così all'improvviso; mentre aspettavo alla reception, un tipo mi ha detto di seguirlo. Mi ha portato in un camerino dove mi aspettava un truccatore, cosa che mi è sembrata molto strana!"

Dunque, al trucco, poi dritto nello studio, davanti alla conduttrice della BBC, che senza perdere tempo lo ha presentato come Guy Sonders, esperto di economia. Lui, che di economia non ne sa assolutamente nulla. "Quando ho capito che ero in diretta, di fronte alle telecamere, che cosa potevo fare? Ho cercato di rispondere alle domande e di stare calmo".

Prima domanda della conduttrice: "Che cosa ne pensa della decisione del governo di licenziare 200 maestri elementari?". Dovevo dire qualcosa: "Sono molto sorpreso, questa decisione veramente non me l'aspettavo".

Nel frattempo, il vero Sonders era arrivato. Mentre aspettava nella lobby davanti a un monitor, ha visto che il suo nome compariva sullo schermo sotto il volto di uno sconosciuto, il quale cercava di rispondere alle domande della giornalista. Cos'era successo? Alla reception la segretaria aveva confuso i nomi!

A Goma è andata comunque bene: da disoccupato è diventato una "star per caso" ed ha partecipato ad altre trasmissioni televisive! Per parlare non di economia, ma della sua esperienza...

adattato da La Repubblica

3 Now read the article and choose the five statements that are correct.

Alla BBC per un colloquio di lavoro
Va in diretta scambiato per l'ospite

LONDRA – Famoso per caso! È ciò che è successo a un giovane che si è presentato presso gli studi della BBC per un colloquio di lavoro e invece, per errore, è finito davanti alle telecamere!

Guy Goma voleva solo proporsi come elettricista. Invece: "È successo tutto così all'improvviso; mentre aspettavo alla reception, un tipo mi ha detto di seguirlo. Mi ha portato in un camerino dove mi aspettava un truccatore, cosa che mi è sembrata molto strana!"

Dunque, al trucco, poi dritto nello studio, davanti alla conduttrice della BBC, che senza perdere tempo lo ha presentato come Guy Sonders, esperto di economia. Lui, che di economia non ne sa assolutamente nulla. "Quando ho capito che ero in diretta, di fronte alle telecamere, che cosa potevo fare? Ho cercato di rispondere alle domande e di stare calmo".

Prima domanda della conduttrice: "Che cosa ne pensa della decisione del governo di licenziare 200 maestri elementari?". Dovevo dire qualcosa: "Sono molto sorpreso, questa decisione veramente non me l'aspettavo".

Nel frattempo, il vero Sonders era arrivato. Mentre aspettava nella lobby davanti a un monitor, ha visto che il suo nome compariva sullo schermo sotto il volto di uno sconosciuto, il quale cercava di rispondere alle domande della giornalista. Cos'era successo? Alla reception la segretaria aveva confuso i nomi!

A Goma è andata comunque bene: da disoccupato è diventato una "star per caso" ed ha partecipato ad altre trasmissioni televisive! Per parlare non di economia, ma della sua esperienza...

adattato da *La Repubblica*

1. Il ragazzo era andato alla BBC per trovare lavoro.
2. Ha capito subito ciò che sarebbe successo.
3. La conduttrice credeva di parlare con un esperto di economia.
4. Al ragazzo è piaciuta l'idea di parlare in televisione.
5. Per fortuna è riuscito a rimanere calmo e a rispondere.
6. La trasmissione è durata più di un'ora.
7. La giornalista si è arrabbiata con Guy Goma.
8. È stato il vero Sonders a capire l'errore.
9. Dopo questa, il ragazzo ha partecipato anche ad altre trasmissioni.
10. Oggi Guy Goma lavora alla BBC come elettricista.

4 Vocabolario. Match the professions highlighted in blue in the article to the correct image.

1.   2.   3.   4.

5 *Chi…?* Match the professions to the correct definition.

1. …cura gli animali
2. …disegna libri, riviste, pubblicità ecc. al computer
3. …lavora in un negozio (ad esempio, di abbigliamento)
4. …serve a tavola al bar o al ristorante
5. …svolge un lavoro manuale e spesso faticoso
6. …è esperto nell'arte del cucinare

commessa   veterinario
cameriere   cuoco
operaio   grafico

6 *Chi sono?* Briefly describe the job you do to your classmates. They will have to guess your imaginary (or future) job! Don't give them too much information, though!

Example: *Lavoro in un grande edificio bianco, cerco di salvare delle vite. Chi sono?* ⇨ *Un medico.*

12 e 13

7 **Ascoltiamo** (turn to the Workbook, page 108)

8 Study the comic strip and tell the story, orally or in writing. Use these words to help you:
perdere/lavoro - annunci - prendere/prestito - aprire/negozio - ricevere/offerta.

9 **Scriviamo.** Un amico chiede il tuo consiglio sulla professione da scegliere. Scrivigli un'e-mail con idee e consigli, parlando anche di quello che vorresti fare tu.

Test finale

Conosciamo l'ITALIA

Periodico per ragazzi

Studiare...

Il primo passo per individuare il lavoro da fare è decidere che cosa si vuole studiare. Ma anche dove... In Italia ci sono molte buone università. Ma in quali città si trovano le facoltà migliori?

1 Look at the data from recent research by Censis, and find the cities on the map.

Farmacia
Bologna
Trieste
Padova

Giurisprudenza
Trento
Trieste
Genova

Lingue e letterature straniere
Udine
Salerno
Venezia

Architettura
Sassari
Ferrara
Venezia

Economia
Padova
Pavia
Trento

Medicina
Padova
Perugia
Milano Bicocca

Psicologia
Bologna
Padova
Milano Bicocca

Ingegneria
Pavia
Milano Politecnico
Torino Politecnico

Lettere e filosofia
Siena
Macerata
Modena - Reggio Emilia

Fonte: Censis

...e lavorare

L'emigrazione

Tra il 1870 e il 1980 circa 30 milioni di italiani sono dovuti emigrare all'estero per trovare lavoro. Inizialmente in America e poi in Europa. Dopo il 1960, invece, molti si sono trasferiti dal Sud Italia nelle città industriali del Nord, soprattutto Torino e Milano. Ma anche oggi, non sono pochi quelli che cercano lavoro in altre città: in alcune zone dell'Italia, soprattutto del Sud, la disoccupazione resta un grave problema.

2 Has your country also experienced external or internal emigration like Italy? Discuss the subject with your classmates.

Lavorare... ma dove?

Anche oggi, sempre più giovani italiani cercano lavoro all'estero. A volte perché non riescono a trovare un buon posto in Italia o nella loro città. Altre volte perché sanno che un'esperienza in un altro Paese conta molto nel Curriculum vitae. Inoltre, un tirocinio all'estero è un ottimo modo per praticare una lingua straniera, punto debole di molti giovani italiani.

Curriculum Vitae Europass

Informazioni personali

Nome(i) / Cognome(i)	**Anna Paola Conte**
Indirizzo(i)	Via Ariosto 88 - 40126 Bologna
Telefono(i)	+39 06123456 Cellulare: +39 312345678
E-mail	annapaola.conte@example.it
Cittadinanza	Italiana
Data di nascita	28/02/1986
Sesso	Femminile
Occupazione desiderata / Settore professionale	**Gestione risorse umane**

Esperienza professionale

Date	01/2012 →
Lavoro o posizione ricoperti	Assistente amministrativo
Principali attività e responsabilità	Gestione della documentazione contabile generale, fiscale e tributaria, relazione con la clientela e il pubblico
Indirizzo del datore di lavoro	Alma Mater Studiorum, Via Zamboni 37 - 40126 Bologna. Tel. +39 051 3114121
Tipo di attività o settore	Settore amministrativo
Date	09/2011 - 12/2011
Lavoro o posizione ricoperti	Tirocinio
Principali attività e responsabilità	Analisi Curriculum Vitae, gestione dei colloqui, rapporto con la clientela (fornitori, pubblico, personale interno)
Indirizzo del datore di lavoro	Cooperativa Tirrenica, Via Enrico Fermi 45 - 45133 Bologna
Tipo di attività o settore	Settore amministrativo
Date	06/2011 - 07/2011

CV: un termine internazionale, noto a chi cerca lavoro. Proviene dal latino ed è l'abbreviazione di *Curriculum vitae (et studiorum)*, che significa "corso della vita (e degli studi)": un documento che riassume il percorso personale, scolastico e lavorativo di una persona.

3 **Che lavoro fare oggi...** According to the Wall Street Journal, the following professions currently rank amongst the best. Which ones interest you most and why?

Ingegnere di software   Cuoco   Storico   Barista   Programmatore informatico
Matematico   Biologo   Esperto di statistica   Assistente legale   Medico

...e fra 20 anni! These could be some of the professions people will be doing in the future. What do you think they involve?

Creatori di parti del corpo umano
Consulenti per il benessere della terza età
Piloti e guide turistiche spaziali
Specialisti in soluzioni per il cambiamento climatico
Esperti del controllo del tempo
Avvocati virtuali

4 Go to the website for **online @ctivities** on Italian universities.

5   Pr⊙gettiam⊙!

1 Lavorate in coppia. Fate un'indagine nella vostra scuola: i vostri compagni (eventualmente anche di altre classi) quali professioni considerano più: **a.** interessanti, **b.** difficili, **c.** noiose? Create una statistica per i ragazzi e una per le ragazze.

2 Lavorate a piccoli gruppi. Selezionate un professionista (genitore, amico, vicino di casa ecc.) e intervistatelo: perché ha scelto il lavoro che fa? Da quanto tempo lo svolge? Quali sono i pro e i contro del suo lavoro? ecc. In seguito presentate tutte le professioni alla classe che voterà quella più bella e interessante.

What do you remember from Units 1 and 2?

1. Sapete...? Match the two columns.

1. chiedere scusa a un amico	a. Si figuri!
2. rispondere alle scuse di un amico	b. Figurati!
3. rispondere alle scuse in modo formale	c. Mi accompagneresti al cinema?
4. chiedere qualcosa in modo gentile	d. Vedrei volentieri un bel film!
5. esprimere un desiderio	e. Scusa!

2. Complete the sentences with combined pronouns.

1. Che bella maglietta! .... presti un giorno?
2. – Avete conosciuto i cugini di Alessia? – Sì, ... ha presentati ieri.
3. – Chi presta una penna a Paolo? – Professore, ... presto io!
4. .... ripeto: non posso proprio venire al cinema con te.
5. In questo ristorante il tiramisù è ottimo. Se volete mangiare il dolce, ... consiglio.

3. Match a line from the left to one on the right to make sentences.

1. Per diventare avvocato…	a. l'attore che ha il ruolo principale in un film.
2. Il Neorealismo è…	b. un genere cinematografico degli anni '50.
3. Il regista è…	c. bisogna studiare Giurisprudenza.
4. Il CV…	d. riassume il proprio percorso scolastico e lavorativo.
5. La laurea è…	e. la persona che dirige un film.
6. Il protagonista è…	f. il titolo di studio che ottieni alla fine dell'università.

4. Match two of the answers provided to each question.

1. Paolo, che lavoro ti piacerebbe fare?
   ....
2. Stefano è innamorato di Giulia?
   ....
3. Hai scritto il tuo CV per lo stage con la scuola?
   ....

a. Veramente pensavo di farlo domani.

b. Mi piacerebbe diventare avvocato.

c. Amo molto gli animali, vorrei fare il veterinario.

d. Mah! Lei mi ha assicurato che sono solo amici.

e. Non ci sono riuscito. Potresti darmi una mano?

f. No, non penso. Mi aveva detto che non avrebbe mai lasciato Rebecca.

Castello Miramare,
Trieste

Check your answers on page 183. Are you satisfied?

Per cominciare...

1 What are these teenagers doing? Do you think that time spent on these activities should be limited to a maximum number of hours?

2 From what you can remember, which of these activities do the characters in our story do? What about you? Talk about it with your classmates.

3 Listen to the dialogue and tick the statements that are correct.

1. I ragazzi sono andati al cinema il giorno prima. ▪
2. Al cinema c'erano tutti i ragazzi della compagnia. ▪
3. Dino litiga con i suoi sempre per lo stesso motivo. ▪
4. Il motivo è che lui passa troppo tempo al computer. ▪
5. Anche Paolo litiga spesso con Dino per questo motivo. ▪
6. Dino ha molti amici con cui chatta quasi ogni sera. ▪
7. Ultimamente Dino chatta spesso con una ragazza. ▪
8. La ragazza abita in un'altra città. ▪
9. Paolo sa cosa è successo ad Alessia. ▪
10. Alessia promette di raccontare la sua esperienza. ▪

In this unit...   Glossary on page 172

1. ...we are going to learn how to pass on news; to express surprise and disbelief; to talk about technology; to describe actions in progress, and actions that are about to occur;

2. ...we are going to learn to use relative pronouns, and the stare + *gerund and the* stare per + *infinitive forms;*

3. ...we will find information and interesting facts on technological innovation.

A È qualcosa di cui mi vergogno...

Read the dialogue and check your answers to the previous activity.

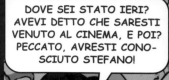

DOVE SEI STATO IERI? AVEVI DETTO CHE SARESTI VENUTO AL CINEMA, E POI? PECCATO, AVRESTI CONOSCIUTO STEFANO!

SCUSATE RAGAZZI, MA HO LITIGATO CON I MIEI!

DI NUOVO? PER IL SOLITO MOTIVO?

MA SÌ! NON RIESCONO A CAPIRE CHE IL MONDO OGGI È DIGITALE!

E QUESTO SAREBBE IL MOTIVO PER CUI AVETE LITIGATO? ORIGINALE!

IL MOTIVO È CHE DINO PASSA TANTE ORE AL COMPUTER!

MA PERCHÉ, VOI NON FATE LO STESSO?

SÌ, PERÒ TU ESAGERI! TRA VIDEOGIOCHI, E-MAIL, FACEBOOK E CHISSÀ COS'ALTRO, CI PASSI ALMENO TRE ORE AL GIORNO. VERO?

MAGARI! SABATO SONO RIMASTO SVEGLIO FINO ALLE 3 DEL MATTINO! MA C'ERA QUESTA RAGAZZA CHE HO CONOSCIUTO IN CHAT CHE È VERAMENTE SIMPATICA.

LA STESSA CON CUI CHATTAVI ANCHE L'ALTRO IERI?

AH, MI SA CHE C'È UNA STORIA QUI! E POI PRENDETE IN GIRO ME. DAI, RACCONTA!

SI CHIAMA LISA ED È DI MILANO. VISTO CHE TRA DUE SETTIMANE SAREMO LÌ IN GITA, SPERO DI INCONTRARLA!

AH, HAI CAPITO?! E SE TI PRENDE IN GIRO? O QUALCOSA DI PEGGIO, COME QUELLO CHE È SUCCESSO A ME!

PERCHÉ, COSA TI È SUCCESSO?! QUESTO NON CE L'HAI MAI RACCONTATO!

INFATTI, È QUALCOSA DI CUI MI VERGOGNO UN PO'... VE LO RACCONTO UN'ALTRA VOLTA PERÒ.

2 With a partner, role play what you imagine the characters would say in the following situations.

1. I ragazzi sono davanti al cinema, ma Dino è in ritardo. Paolo lo chiama e...
2. Dino litiga con suo padre.
3. Dino parla a Paolo di una ragazza che ha conosciuto in chat.
4. Alessia rivela il suo segreto a Giulia.

3 Work with a partner. Make two sentences with two of the expressions highlighted in blue in the dialogue. When you have finished, compare your sentences to those of your classmates.

....

....

4 Giulia is writing on her Facebook page. Complete the text with the words provided.

Ieri con alcuni compagni di scuola siamo andati al cinema. Ci siamo divertiti un sacco. Mancava solo un nostro amico (non posso dire il nome) ....(1) un problema, litiga continuamente con i suoi genitori. Secondo me, hanno ragione loro: è vero ....(2) tante ore al computer. Troppe! E forse non è venuto al cinema non perché avevano litigato, ma perché ha preferito rimanere a casa a chattare con questa ragazza milanese che ha conosciuto da poco e ....(3) piace. Speriamo bene, così si trova un altro interesse! Però mi chiedo: se la ragazza vive a Milano, non dovranno chattare sempre di più? Ma c'è un'altra ....(4) mi preoccupa: una mia amica ha un segreto. Strano, perché non ne abbiamo mai avuti tra di noi... Ma ha promesso che presto ci racconterà ....(5) le è successo. Boh... spero solo che non sia niente di grave perché le voglio molto bene.

che passa

che gli

quello che

cosa che

che ha

5 The words highlighted in yellow that you have just used are relative pronouns. How would you translate "un amico che ha un problema" into English?

6 Study the table. The pronoun che can refer to either the subject (sentences 1 and 2) or to the object (sentences 3 and 4) of the verb.

Il pronome relativo che

1. Il signore che parla in TV è un mio professore.
2. Conosci quei ragazzi che sono seduti sulle scale?
3. Ho finito il libro che mi avevi prestato.
4. Stasera metto le scarpe che ho comprato ieri.

Note: Questi ragazzi li ho conosciuti ieri.
but Questi sono i ragazzi che ho conosciuto ieri.

When it refers to the subject, the pronoun che can be replaced by il/la quale:

Ho incontrato la ragazza di Michele che ha sedici anni. In this sentence, the relative pronoun che could refer to either Michele or his girlfriend. To avoid confusion, the pronoun il/la quale can be used:

Ho incontrato la ragazza di Michele, la quale ha sedici anni.

p. 152

7 Make sentences (orally) as in the example.

Luca ha una sorella; si chiama Ilaria. *(Luca...)*
Luca ha una sorella che si chiama Ilaria.

1. Ho visto una commedia ieri; la commedia era molto divertente. *(La...)*
2. Ho scoperto una pizzeria; la pizzeria è veramente buona. *(La...)*
3. Mario mi ha regalato un libro; ho già letto questo libro! *(Mario...)*
4. Penso di comprare un tablet; questo tablet non costa molto. *(Il...)*
5. Ho mangiato un panino; il panino era buonissimo. *(Ho...)*

8 In the dialogue on page 36 we saw the sentence "come quello che è successo a me". Study the following information:

Forma corretta	Forma sbagliata
coloro che (le persone che) credono*	~~loro che~~ credono
tutti quelli che credono*	~~tutti che~~ credono
quello che (ciò che) dici	~~questo che~~ dici

p. 153

*It is also possible to say chi crede. In fact, chi is also a relative pronoun; it is invariable and can only be used in the singular: *Chi arriva* in ritardo, non *potrà* entrare. = Quelli che arrivano in ritardo non potranno entrare.

Are you able to make a sentence with one of these forms?

.... 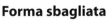 1 - 6

B Incredibile!

1 Gianna is telling her sister about the things that have happened recently in their town. Listen to their conversation and tick the pictures that you think correspond to Gianna's news.

 1

 2

 3

 4

 5

 6

 7

 8

2 Try to remember which of the following expressions you heard! Listen again to check your answers to this and to the previous activity.

Esprimere sorpresa

Davvero?! Ma va'!
Scherzi?! Chi l'avrebbe mai detto?
Caspita! Possibile?!

Esprimere incredulità

Non ci credo! Incredibile!
Non me lo dire! No!
Non è vero! Impossibile!

3 ⊃ Person A: Give B the news outlined below. You can use expressions such as "hai sentito che...?", "lo sai/sapevi che...?", "hai saputo che...?" etc.

- il nuovo iPhone costa 700 euro
- hai scaricato più di trenta film ad alta risoluzione
- una vostra amica ha più di 5.000 amici su Facebook
- qualcuno ha rubato il tuo computer portatile nuovo
- la nuova versione del vostro videogioco preferito tarderà molto ad uscire

⊃ Person B: react to the news that A gives you.

 7

39

C Giovani high-tech

1 Read the text and choose the correct statement (A, B or C) for each paragraph.

"La mia giornata tecnologica"
Abitudini dei giovani hi-tech

Cellulari, computer e lettori mp3: quasi ogni momento della giornata è caratterizzato dal contatto con un oggetto tecnologico. Oltre quattrocento le storie che gli studenti hanno inviato a Repubblica@Scuola.

1 *Carlo* vorrebbe fare un po' a meno della tecnologia. Ma non ci riesce: "Sono cresciuto con la PSP, ho l'iPod e ora sogno il nuovo iPhone. Rubo tempo allo sport, allo studio, alla lettura per stare al computer, per chattare con gli amici su Facebook, scrivendo in una lingua strana che nasce dall'italiano ma non lo è più".

2 *Annagiulia* ha preferito parlare del contrasto tra la modernità di questi oggetti quotidiani e la realtà di molte istituzioni e ha concluso con una domanda: "Come fa la scuola a prepararci per il futuro quando appartiene ancora al passato?".

3 *Apollo* scrive: "Nella mia giornata, TV e iPod sono molto più presenti del computer: cosa strana, perché tanti ragazzi usano molto il computer per i social network. Nel mondo della musica posso rilassarmi da solo, mentre al computer devo condividere la mia vita personale anche con gente che non conosco".

4 *Zena* dice che è molto facile perdersi: "Entrando in Wikipedia, non sai mai dove andrai a finire. Si può cominciare una ricerca digitando *cammello* e si può finire su una pagina sulla storia di Singapore: link che aprono infinite strade di ricerca, ma che rendono quasi impossibile concludere una ricerca su un tema specifico".

5 *Aledin* ha raccontato la storia di un ragazzo e una ragazza che partono per una gita e affidano tutte le loro informazioni (mappe, orari ecc.) a un iPad. Solo che, all'improvviso, quando i due si trovano in un luogo che non conoscono, il tablet va in black-out! Allora sono costretti a cavarsela da soli e ritrovare la strada grazie al "rumore di un ruscello".

adattato da *la Repubblica@SCUOLA*

1. Carlo non può
A resistere alla tecnologia
B trovare tempo per la tecnologia
C capire la tecnologia

2. Secondo Annagiulia, la scuola
A si basa troppo sulla tecnologia
B deve fare dei passi avanti
C era migliore in passato

3. Apollo preferisce la musica
A alla televisione
B ai social network
C ai suoi amici

4. Secondo Zena, in Internet
A trovi informazioni sbagliate
B è impossibile iniziare una ricerca
C non è facile concentrarsi

5. Nella storia di Aledin
A i due ragazzi perdono il loro iPad
B l'iPad dà informazioni sbagliate
C l'iPad non può aiutare i ragazzi

2 With a partner, make up a brief heading for each story.

3 Write a short paragraph outlining your views on technology.

8 e 9

STOP Fine Prima parte
pagina 145

Qualcosa di cui non sono fiera...

Study the comic strip below and try to guess what happened to Alessia and what the girls are saying. Then, read and listen to the dialogue.

2 Complete the sentences with three of the expressions highlighted in blue in the dialogue.

1. Diceva di essere mia amica, ma .... diceva in giro cose poco carine su di me!

2. Aveva detto che avrebbe chiesto il mio parere, ma poi ....!

3. Il direttore della banca ha capito subito che .... Infatti, quei tipi erano dei rapinatori!

3 Answer three of the following questions in your exercise book, using 10-15 words for each.

1. Di cosa non è molto fiera Alessia?
2. Dove ha conosciuto Andrea?
3. Lui che cosa sapeva di lei?
4. Perché Alessia ha deciso di incontrarlo?
5. Perché non ha detto niente a nessuno?
6. Com'è andata a finire la vicenda?

4 With a partner, think of 2-3 pieces of advice you could give Alessia. What should she have done? Compare your advice to that of your classmates.

5 In the two dialogues in this unit we came across sentences such as "il motivo per cui avete litigato", "la stessa (ragazza) con cui chattavi", "non è qualcosa di cui sono molto fiera". Complete the table with di cui, a cui, tra cui, per cui.

Il pronome relativo cui

Stavo parlando con Luigi.	⇨ Il ragazzo con cui stavo parlando è Luigi.
Penso spesso a mia nonna.	⇨ La persona .... penso spesso è mia nonna.
Non sono venuta per motivi seri.	⇨ I motivi .... non sono venuta erano seri.
Tra gli invitati c'era anche Marcella.	⇨ C'erano tanti invitati, ... anche Marcella.
Mi parla spesso di una ragazza, Rosa.	⇨ Rosa è la ragazza .... mi parla spesso.

p. 153

As you can see, the relative pronoun cui is always preceded by a preposition.

6 Like **che**, **cui** can also be replaced by **il quale**; when this happens, the preposition combines with the definite article as shown below:

Il ragazzo con cui esci è simpatico.	⇨ ...con il quale esci...
Chi sono i ragazzi a cui hai dato il tuo numero?	⇨ ...ai quali hai dato...

p. 153

7 Make sentences (orally) as in the example.

> Ho molta fiducia in Roberto. *(Roberto è un ragazzo...)*
> *Roberto è un ragazzo* in cui / nel quale *ho molta fiducia.*

1. Ho prestato un libro a Carlo. *(Il ragazzo...)*
2. L'estate scorsa ho lavorato in quest'agenzia. *(Questa è...)*
3. Vivo in una grande città, con poco verde. *(La città...)*
4. Esco spesso con Gianni e Mario. *(Gianni e Mario sono gli amici...)*
5. Stasera ci sarà anche Anna; ti ho già parlato di lei. *(Stasera viene anche...)*

10 - 12

B Che stai facendo?

1 In the dialogue on page 41 we read the following sentences: "Una sera stavo chattando...", "Veramente stavo per dirvelo, ma poi...". With a partner, try to understand from the context what the two expressions in blue mean. Turn to page 153 to check whether you are right.

2 Listen and match the mini dialogues you hear to the illustrations.

a
b
c
d

13

C Vocabolario e abilità

1 We have seen that Dino and Alessia spend a lot of time on their computers and on social networking sites. What about you? Do the following test to see whether you suffer from some sort of technology dependence!

La vita è on line?

1. All'improvviso la connessione a Internet si perde, che fai?
Aspetto, prima o poi tornerà
Vado subito da qualche compagno che non ha lo stesso problema
Spengo il computer e faccio qualcos'altro

2. Ti capita mai di rinunciare ad ore di sonno per poter passare più tempo in Internet?
No, mai / Raramente / Spesso

3. Capita che preferisci restare a casa davanti al computer invece di uscire con gli amici?
No, mai / Quasi ogni giorno / Raramente

4. Hai mai saltato un pasto per rimanere al computer?
Qualche volta / No / Certo!

5. Hai mai mentito sul tempo che passi al computer?
Praticamente ogni giorno / Raramente / Spesso

6. Hai più amici su Internet o nella vita reale?
Nella vita reale / Metà e metà / Ovviamente su Internet

7. Un tuo coetaneo non prova alcun interesse per Facebook. Cosa pensi?
Sarà pazzo! / Che strano / Finalmente, una persona diversa

8. Aggiorni il tuo profilo su Facebook...
ogni settimana / una volta all'anno / ogni mese

9. Quanto tempo passi su Facebook in media?
1-2 ore alla settimana / Un'ora al giorno / 2 ore al giorno

10. Secondo te, Internet può avvicinare le persone tra loro?
A volte sì, altre no / Sicuramente / In realtà fa il contrario

Il tuo punteggio
Per le risposte in blu 1 punto,
per quelle in nero 2 punti,
per quelle in rosso 3.

Punteggio del test

10-16 Complimenti: sembri mantenere un ottimo equilibrio tra vita reale e vita virtuale! Anzi, dai più importanza agli amici veri, invece che a quelli on line. Sai che il computer è un mezzo per fare tante cose e niente di più.

17-23 Sicuramente il computer è uno dei tuoi passatempi preferiti e probabilmente anche le reti sociali. Però, a quanto pare, cerchi di non esagerare e sai distinguere tra amici reali e virtuali. Per il momento non sei a rischio, ma la dipendenza potrebbe essere dietro l'angolo.

24-30 Per te il mondo lontano dal computer non è interessante. Vivi soprattutto on line, trascuri gli amici reali e non puoi vivere senza Internet. "Amico" e "amico on line" non sono la stessa cosa e comunque è la qualità, non la quantità che conta. La tua dipendenza dal computer potrebbe diventare preoccupante...

Do you agree with the results and the conclusions reached? Talk about it with your classmates.

2 **Lessico.** We have listed a series of words below that, with a partner, you need to match to the four pieces of technology shown. Obviously, some of the words relate to more than one of the pieces of equipment. The group that correctly lists the most words in five minutes wins!

avanti, cuffie, batteria, spegnere, cavo, abbassare, mouse, zoomare, scattare, trascinare, tasto, suoneria, inviare, cancellare, indietro, caricare, accendere, connessione, premere, alzare, ricevere

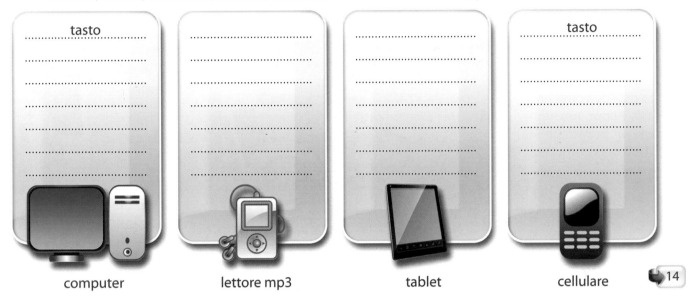

tasto		tasto

computer   lettore mp3   tablet   cellulare   14

 3 **Ascoltiamo** (turn to the Workbook, page 117)

4 **Parliamo**

1. Quanto tempo passate al computer ogni giorno? Per fare cosa? Parlatene.
2. Secondo voi, la tecnologia aiuta oppure ostacola le relazioni umane? Motivate le vostre risposte.
3. Degli apparecchi dell'attività 2 quale portereste con voi su un'isola deserta? Per ciascuno, potete pensare a un vantaggio e a uno svantaggio?
4. Qual è, secondo voi, il pericolo maggiore di Internet? Cosa sapete del cyberbullismo? Parlatene.

* role-play* **5** **Situazione**

⤳ **Student A:** turn to page 147.   ⤳ **Student B:** turn to page 148.

6 **Scriviamo** _ □ ✕

Tuo nonno vive in un'altra città e non ama la tecnologia: ha un vecchio computer in casa, ma non ha un collegamento a Internet. Scrivi una lettera per spiegargli alcuni dei vantaggi che la tecnologia offre anche a persone della sua età. Gli dai dei consigli pratici e facili da applicare e lo inviti a visitare la tua pagina Facebook, il quale per lui resta un mistero... (*120-140 parole*)

Test finale

Anche la tecnologia ha... un passato

Tutti voi siete nati e cresciuti con, anzi, dentro la tecnologia. Ma cosa ne sapete? Vediamo alcune importanti tappe nella storia recente della tecnologia.

La prima e-mail

Un programmatore, Ray Tomlinson, usa il simbolo @, presente sulle macchine da scrivere, per inviare un breve testo a un altro computer. Cosa scrive? Niente, una casuale sequenza di lettere... Ma è l'inizio di una rivoluzione...

Il primo cellulare personale

Creato da Martin Cooper, ingegnere della Motorola, pesava più di un chilo e mezzo e ovviamente non aveva display. La prima telefonata l'ha fatta al direttore della società concorrente Bell!

Il primo computer

Chiamato ENIAC, pesava 27 tonnellate ed era grande come una casa. Allora, nessuno poteva prevedere il futuro dei computer.

1946 · **1969** · **1971** · **1973** · **1992**

La nascita di Internet

Creato dal Ministero della Difesa Americano, ARPANET aveva lo scopo di collegare diversi punti indipendenti tra di loro. Piano piano si sono collegate anche molte università e più avanti anche le imprese.

Il primo sms

Friedhelm Hillebrand, esperto di comunicazione, ha avuto una strana idea: inviare un messaggio di testo da un cellulare a un altro sfruttando un canale secondario a quello della voce: oggi il numero di sms inviati supera quello delle telefonate! Il primo messaggio mai inviato: *"Merry Christmas!"*.

Answer the following questions orally.

1. Quali avvenimenti e invenzioni ritenete più importanti e perché? Scambiatevi idee.
2. C'è qualche informazione che non conoscevate o che vi sembra strana?
3. Cos'altro aggiungereste a questa linea del tempo e perché?
4. Qual è secondo voi l'invenzione più importante degli ultimi 5 anni?
5. Internet è abbastanza diffuso nel vostro Paese? Pensate ad esempio al numero di scuole e di servizi pubblici collegati, a quanto lo usano i vostri genitori e insegnanti ecc. Parlatene.

Focus è una rivista scientifica molto diffusa in Italia.

I motori di ricerca

Senza di loro, navigare nell'oceano di Internet sarebbe molto difficile. La rivoluzione? Google, fondato nel 1998 da due studenti di Stanford, Larry Page e Sergey Brin. Oggi, in tante lingue, "googlare" significa cercare.

Le reti sociali

Creato da Mark Zuckerberg, inizialmente come una rete interna di Harvard, Facebook permetteva agli studenti di condividere foto e informazioni. L'idea di aprirlo ad altre università e, infine, a tutti gli utenti di Internet ha cambiato le abitudini di milioni di persone e il significato della parola "amico".

L'iPad

La Apple e il suo fondatore, Steve Jobs, hanno rivoluzionato il mondo della musica con l'iPod nel 2001 e gli smartphone con l'iPhone nel 2007. Poi, con altrettanto successo, hanno creato un nuovo mercato, quello dei tablet.

continua...

1998   2001   2004   2005   2010

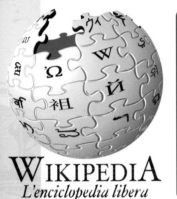

WIKIPEDIA
L'enciclopedia libera

Wikipedia

Un'enciclopedia mondiale online, collaborativa e gratuita! Un tempo questo sembrava impossibile. Fondata da Jimmy Wales, Wikipedia ha introdotto anche un nuovo concetto: da tutti e per tutti. Oggi è disponibile in oltre 270 lingue!

YouTube

Una televisione mondiale! Un'idea troppo ambiziosa per essere vera, eppure YouTube ha dato a milioni di persone la possibilità di caricare i loro video. Oggi è possibile trovare di tutto! Anche i protagonisti della nostra storia!

2 Go to the website for @ttività online on technology.

3 Pr⊙gettiam⊙!

1 Lavorate a gruppi. Fate una piccola indagine nella vostra scuola per sapere: **a.** quante ore al giorno passano al computer ragazzi e ragazze; **b.** come suddividono questo tempo (Internet, videogiochi, chat, reti sociali, altro); **c.** quali sono i loro tre siti preferiti; **d.** qual è, secondo loro, il pericolo maggiore della rete. Alla fine riferite in classe le vostre conclusioni. In alternativa potete proporre ad alunni di altre classi l'intero o parte del test di pagina 44 e stilare una statistica in base ai risultati.

2 Lavorate tutti insieme. Create il blog della vostra classe, ovviamente interamente in italiano! I più esperti daranno dei consigli tecnici, ma tutti dovrete contribuire all'arricchimento del blog con testi e foto. Il blog può seguire le tematiche di *Progetto italiano Junior*, quindi potete cominciare con del materiale (brevi notizie, pareri, siti interessanti ecc.) sulla tecnologia. Potete, inoltre, postare i dati statistici del compito precedente. In alternativa, potreste creare un blog sull'Italia! In bocca al lupo!

What do you remember from Units 2 and 3?

1. Sapete...? Put each of the following elements under the correct heading. Be careful, though: two of the elements don't below under either heading!

1. *Non ci credo!* – 2. *Ma va'!* – 3. *Figurati!* – 4. *Non me lo dire!* – 5. *Impossibile!*
6. *Come mai?* – 7. *E chi l'avrebbe mai detto?* – 8. *Scherzi?!* – 9. *Non è vero!* – 10. *Davvero?!*

Esprimere sorpresa	Esprimere incredulità

2. Decide whether the pronoun *che* is acting as the subject (S) or the direct object (O).

1. Il cane che è vicino alla porta si chiama Bea.   S   O
2. La finestra che ho cercato di aprire è rotta.   S   O
3. Abbiamo mangiato nella pizzeria che ci avevate consigliato.   S   O
4. La ragazza che sta passando mi sembra Alessia.   S   O

3. Use the pronoun *cui* to join the two sentences in each case.

1. Il ragazzo si chiama Mario. Esco con un ragazzo.   ....
2. La casa è di mia nonna. Ti parlavo della casa.   ....
3. La città è Roma. Ho trascorso le vacanze in una città.   ....
4. Il computer è di Dino. Abbiamo giocato con il computer.   ....

4. Which word or expression is the odd one out?

1. scusa, mi scusi, chiedo scusa, figurati
2. computer, curriculum, tablet, pc
3. facoltà, veterinario, chirurgo, cuoco
4. avrei voluto, mi piacerebbe, userei, diventerò
5. wikipedia, youtube, facebook, euro
6. glielo, me lo, te le, mela

Check your answers
on page 183.
Are you satisfied?

Tempio della Concordia,
Agrigento

Per cominciare...

1 Work with a partner. Study the activities listed below and decide which of the cities depicted would be best for each.

a. trascorrere le vacanze estive b. fare una gita scolastica c. fare una vacanza studio
d. frequentare l'università e. fare shopping

Firenze

Venezia

Viareggio

2 Compare your choices to those of your classmates.

3 Listen to the dialogue and choose the correct statement in each case.

1. Secondo i ragazzi, Milano è
   a. grande, ma brutta
   b. moderna ed europea
   c. caotica, ma accogliente

2. A quanto pare, Firenze
   a. è più accogliente di Milano
   b. non è una città turistica
   c. ha il metrò

Milano

Roma

In this unit...   Glossary on page 174

1. ...we are going to learn to make comparisons; to clarify and explain; to talk about the weather; to disagree with someone; to describe a city or town;

2. ...we are going to learn about making comparisons and expressing the degree to which an adjective applies;

3. ...we will find information on the main Italian cities.

A È più grande di Firenze!

Complete the dialogue by adding the lines provided on page 51. Then, listen to the dialogue again.

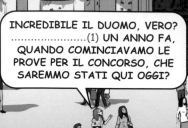

INCREDIBILE IL DUOMO, VERO? ....(1) UN ANNO FA, QUANDO COMINCIAVAMO LE PROVE PER IL CONCORSO, CHE SAREMMO STATI QUI OGGI?

IO! VE LO DICEVO FIN DALL'INIZIO! COMUNQUE, BELLA MILANO, MI PIACEREBBE VIVERCI!

DAVVERO? VOGLIO DIRE... SÌ, È BELLA, MA VIVERCI? PERCHÉ?

PRIMA DI TUTTO PERCHÉ È PIÙ GRANDE DI FIRENZE.

E BEH? ANCHE NAPOLI È PIÙ GRANDE, MA QUESTO NON BASTA.

GIUSTO. MA MILANO È ANCHE PIÙ MODERNA: HA IL METRÒ E AVETE VISTO ....(2)!

MAH... SE È PER QUELLO, MILANO È MENO MODERNA DI TANTE CITTÀ EUROPEE. VERO?

CERTO, MA ADESSO ....(3) CITTÀ ITALIANE. UN'ALTRA COSA CHE MI PIACE DI MILANO È CHE HA MENO TURISTI DI FIRENZE... IN CENTRO SPESSO SENTI PARLARE PIÙ IN INGLESE CHE IN ITALIANO.

APPUNTO, FIRENZE È PIÙ ACCOGLIENTE... E POI TUTTO È PIÙ VICINO. A ME MILANO SEMBRA CAOTICA. ....(4) DEL TRAFFICO!

E POI FIRENZE HA QUALCOSA CHE MILANO NON HA: IL TUO STEFANO!

MA VA'!

RAGAZZI, STATE PARLANDO DI DUE CITTÀ MOLTO DIVERSE! ....(5) CHE UNA È MIGLIORE DELL'ALTRA!

HAI RAGIONE... DAI, DICIAMO CHE MILANO È BELLA QUASI QUANTO FIRENZE...

MACCHÉ!

A. quanti palazzi moderni

B. Non è facile dire

C. Per non parlare

D. stiamo parlando di

E. Chi l'avrebbe detto

2 Read the dialogue with a partner. One of you will read what Dino says, and the second person will read what everyone else says.

3 The dialogue contains four expressions highlighted in blue. Use three of these to complete the following sentences.

1. Avremmo dovuto dire la verità .... Tutto sarebbe molto più semplice adesso.
2. – La nostra scuola farà una gita in Italia, visiteremo cinque città!
   – ....? Che fortuna!
3. – Ho sentito che la Sardegna ha delle spiagge bellissime.
   – ...., le sue spiagge sono tra le più belle del Mediterraneo!

4 Do you remember the girl from Milan that has been chatting with Dino (Unit 3)? Work with a partner to complete the following telephone conversation they have, putting one or two words in each space.

Carla: Peccato che non siamo riusciti a vederci... Ma con questo bel tempo i miei non volevano proprio rimanere in città!

Dino: Infatti, stamattina c'erano 25 gradi! Siamo stati fortunati.

Carla: Già... Allora, come ti è sembrata Milano?

Dino: Bella, grandissima... molto .... (1) di Firenze!

Carla: Sì, Firenze sarà .... (2) grande, ma secondo me, è .... (3) di Milano.

Dino: Per essere bella, è bella, anche se io preferisco le città più moderne. E Firenze è .... (4) di Milano.

Carla: Però Firenze è .... (5) accogliente, no?

Dino: Eh... sì, certo... Poi c'è anche meno traffico.

Carla: Questo sì, Milano è caotica!

Dino: Caotica... direi proprio di sì.

Carla: Dai, diciamo che Firenze è bella .... (6) Milano.

Dino: Ma... hai parlato con Paolo per caso?

Carla: Con chi?!

5 Did you notice what words were used to make comparisons in the previous dialogues? Complete the following table.

Comparazione tra due nomi o pronomi

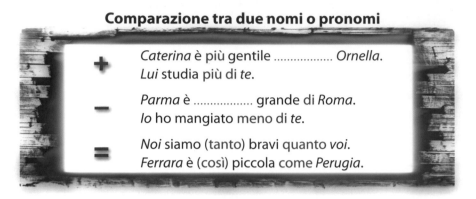

+ *Caterina* è più gentile .... *Ornella.*
Lui studia più di *te.*

− *Parma* è .... grande di *Roma.*
Io ho mangiato meno di *te.*

= *Noi* siamo (tanto) bravi quanto *voi.*
Ferrara è (così) piccola come *Perugia.*

6 Study the table above and the example below to help you make sentences (orally) with the information provided.

Alice / magra / Silvia. (+ − =)
Alice è più magra di Silvia. / Alice è meno magra di Silvia. / Alice è magra quanto Silvia.

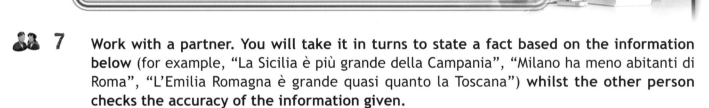

1. Le ragazze / studiano / i ragazzi. (+ =)
2. Maggio / caldo / settembre. (− =)
3. I documentari / interessanti / i telegiornali. (+ −)
4. La valigia / pesante / lo zaino. (+ =)
5. Beatrice / carina / sua sorella. (+ −)

7 Work with a partner. You will take it in turns to state a fact based on the information below (for example, "La Sicilia è più grande della Campania", "Milano ha meno abitanti di Roma", "L'Emilia Romagna è grande quasi quanto la Toscana") whilst the other person checks the accuracy of the information given.

Lombardia (23.857 kmq)
Milano (1.520.000 ab.)

Emilia Romagna (22.114 kmq)
Bologna (440.000 ab.)

Campania (13.595 kmq)
Napoli (1.216.000 ab.)

Toscana (22.992 kmq)
Firenze (440.000 ab.)

Lazio (17.203 kmq)
Roma (2.900.000 ab.)

Sicilia (25.709 kmq)
Palermo (720.000 ab.)

8 At one point during his telephone conversation with Carla (A4), Dino says "grandissima". There is more information on this grammatical form, the *superlativo assoluto*, on page 154.

B Cioè?

1 Match the sentences you are about to hear to those given below.

1. Perché non ti sta simpatico Gianni?
2. Il tempo è bello, dai, andiamo!
3. Bella però. Quando l'ha comprata?

4. Cioè è pettegolo? Non sembrava.
5. Ma cosa ti ha preso all'improvviso?

2 Listen again and write down the expressions used to clarify something or to provide an explanation. Then, compare your answers to those of others in the class: have you written down the same expressions?

Precisare e dare spiegazioni

....

....

....

3 With a partner, write two sentences in your exercise books using the expressions from activity 2.

→ 5

C Che tempo fa?

1 Listen to the weather forecast and match the pictures to the relevant words. Be careful, though: each of the areas of Italy (North, Centre, South) and the seas need to be matched to more than one picture!

Nord	Centro	Sud

sereno   coperto   nuvoloso   pioggia   temporale   neve   nebbia

venti	mari: Tirreno - Adriatico	temperature

forti   molto mosso   in aumento

moderati   mosso   stabili

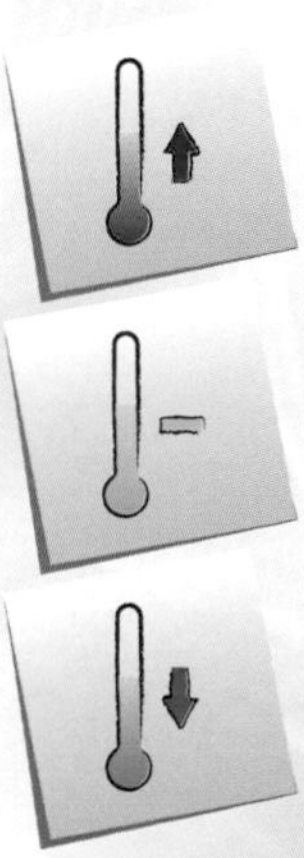

deboli   calmo   in diminuzione

2 Study these expressions. Do you know what they mean? Use them to do activity 3.

Che tempo fa? / Com'è il tempo?

Il tempo è bello/brutto.
È sereno/nuvoloso.
C'è il sole / la nebbia / vento.

Fa bel/brutto tempo.
Fa freddo/caldo.
Piove. / Nevica. / Tira vento.

3 Your class is going on a short trip in a few days and your teacher wants to know which nearby city you might like to visit. With a partner, decide which city your school is in and, based on the weather forecast, which city it would be worth visiting. You could start your sentences with "Possiamo visitare Genova perché …", "Perché non andiamo a ..?" etc.

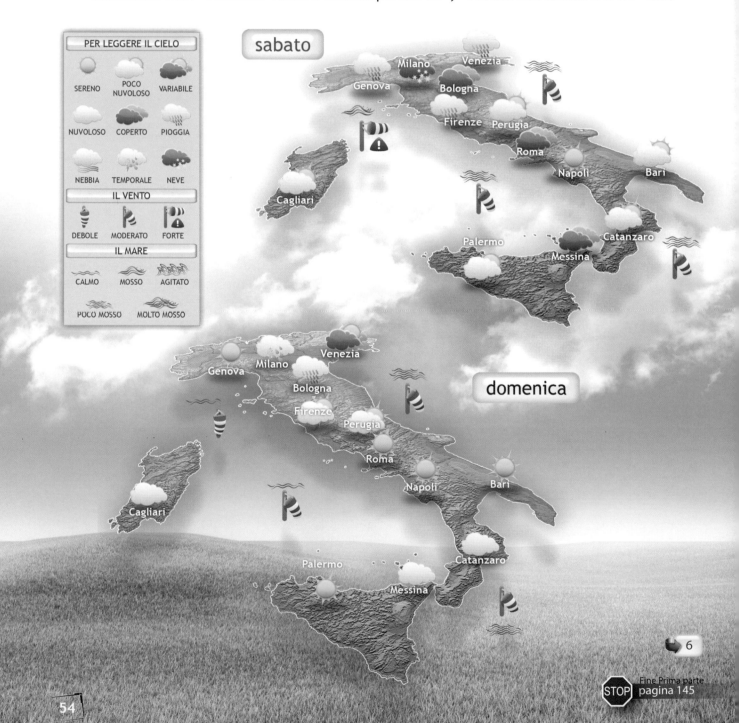

Fine Prima parte
pagina 145

A Bellissima questa piazza!

Listen to the recording without looking at the cartoon strip and, on page 56, tick the five statements that are correct. Then, read the dialogue to check your answers.

1. Giulia ha mandato tante foto a Stefano.
2. Stefano le aveva detto che non voleva ricevere foto da Milano.
3. Giulia è delusa dal comportamento di Stefano.
4. I milanesi stessi non si fermano molto in Piazza Duomo.
5. In Piazza Duomo non ci sono molti negozi.
6. È ora di andare via, ma non tutti ne hanno voglia.
7. Tutti i ragazzi vogliono andare a mangiare qualcosa.
8. Secondo Paolo, Dino più che stanco, è pigro.
9. Dino ha già visto la zona dei Navigli.
10. Dopo i Navigli i ragazzi andranno al Castello Sforzesco.

2 In the dialogue there are six expressions highlighted in blue. With a partner, match four of them to those given below.

1. Visto che parliamo di questo...   3. Mannaggia!

2. Parliamo di qualcos'altro...   4. Non gli è piaciuta l'idea...

3 In the dialogue we also saw the sentences "a me piace osservare... più che camminare" and "più che al lavoro, vanno a fare spese". Additionally, in statement 8, we read "più che stanco, è pigro". Complete the title of the following table.

Comparazione tra due ...., ... **o quantità**

– Milano è una città vivace. – Secondo me, è più *frenetica* che *vivace*.
– Ti piace guardare la TV o leggere? – Mi piace più *leggere* che *guardare* la TV.
Ultimamente leggo più *libri* che *riviste*.

p. 154

4 Make comparisons between the elements highlighted in blue.

1. Questo chef / famoso / bravo.
2. Tiziana è una ragazza / simpatica / attraente.
3. Divertente / imparare l'italiano / (imparare) il tedesco.
4. Alla festa di Carlo c'erano / ragazzi / ragazze.
5. Difficile / parlare / capire l'italiano.

7 - 9

B Ma no!

1 Listen to the mini dialogues (1-5) and match each to a photo (a-g), leaving two pictures unused.

a

b

c

d

e

f

g

2 Listen again and write down in your exercise books the expressions that the second person uses to disagree with the first.

3 Use the expressions you have written down to write a short dialogue similar to those you have just heard. Compare your dialogue to those of your classmates.

10

C Città italiane

1 What do you think life is like in these two cities? Which offers the best quality of life, and why?

2 Complete the following text. Choose the most appropriate word from the selection provided for each gap.

Qual è la città più vivibile del Belpaese?

ROMA - Forse i romani ancora non se ne sono accorti, sempre a combattere tra traffico e servizi (1)........... efficienti, ma la qualità della vita nella Capitale sta migliorando di giorno in (2)........... Come ogni anno *Il Sole 24 ore* pubblica la classifica delle città e delle province italiane più vivibili. E Roma risale al (3)........... 23 e riguadagna ben 34 posizioni. In cima alla lista c'è invece Bologna, che con i suoi servizi efficienti, le sue grandi imprese e la qualità del tempo (4)........... è la città più vivibile di tutto il Belpaese. Ma è tutta l'Emilia a essere premiata: tra le prime dieci classificate ci sono altre tre province della (5)...........: Parma (che lo scorso anno era al primo posto), Forlì e Rimini. Delle città, la più ricca è Milano, la più povera Vibo Valentia. La più colta è Firenze. La più bella? Impossibile dirlo, naturalmente. Vita (6)........... o peggiore, ovviamente, sempre in base ai parametri scelti dall'autorevole quotidiano economico: la ricchezza pro capite; gli affari e il lavoro; i servizi e l'ambiente; l'ordine pubblico e il tempo libero. Ciascuna graduatoria tiene conto di (7)........... parametri, dal reddito alla frequenza delle rapine. La provincia più sicura è Isernia, mentre sono le grandi metropoli (Roma, Milano, Napoli) ad avere il (8)........... di rapine, furti d'auto, microcriminalità. E se nelle province del Nord si nota una ripresa della natalità, il Sud si prende un piccola rivincita nell'ambito dei servizi e dell'ambiente perché prima in Italia è Agrigento.

adattato da la Repubblica

1	a. molto	b. quasi	c. super	d. poco
2	a. anno	b. settimana	c. giorno	d. notte
3	a. gruppo	b. numero	c. punto	d. piano
4	a. passato	b. libero	c. personale	d. privato
5	a. regione	b. città	c. campagna	d. zona
6	a. buona	b. bella	c. migliore	d. superiore
7	a. strani	b. altri	c. tutti	d. vari
8	a. numero	b. record	c. primo	d. campionato

3 In the text we came across sentences such as "la città più vivibile" and "la più ricca". Complete the table.

Il superlativo relativo degli aggettivi

– È grande l'albergo?   – Sì, è .... albergo più grande della zona.
– L'Italia ha molte belle città.   – Sì, ma Roma è .... più bella!
– È difficile questo esercizio?   – No, forse è .... esercizio meno difficile dell'unità.
– È molto antico quel monumento?   – Sì, è .... monumento più antico della città.

p. 154

4 Make sentences similar to those in the table.

1. Alfredo / studente / bravo / classe
2. Venezia / città / tranquilla / Italia
3. questa / canzone / bella / Tiziano Ferro
4. Gino / impiegato / esperto / agenzia di viaggi

5 On the previous page we came across some special forms of the comparative: migliore, peggiore, superiore. What do they mean? More information on these can be found on page 155.

11 - 13

D Vocabolario e abilità

1 Lessico. a. Do you remember what these things are called? Complete the names.

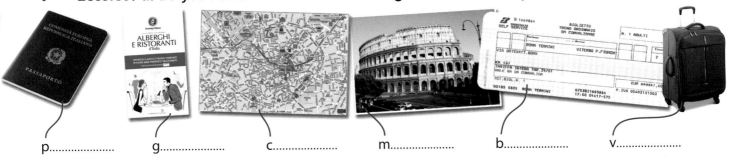

p.................... g.................... c.................... m.................... b.................... v....................

b. Think of five adjectives used to describe cities and five nouns linked to travel.

città

viaggi

2 **Ascoltiamo** (turn to the Workbook, page 126)

3 Parliamo

1. Abbiamo parlato di città vivibili. Secondo voi, quali elementi e caratteristiche rendono una città vivibile, migliore di un'altra? Come giudicate la vostra città in base a questi criteri?
2. Con quale mezzo preferite viaggiare? Quali sono i pro e i contro di ogni mezzo di trasporto?
3. Parlate di un viaggio che avete fatto: con chi, dove, quando, com'è stato.
   Potete farvi delle domande per sapere di più sui viaggi dei compagni.
4. Quali Paesi o città vorreste visitare in futuro e perché?

4 Situazione

⊃ **Student A:** turn to page 147.
⊃ **Student B:** turn to page 148.

5 Scriviamo

Un tuo amico italiano pensa di trascorrere le vacanze nel tuo Paese o nella tua città, ma in un periodo in cui tu non ci sarai. Chiede il tuo consiglio su cosa fare, dove andare, quali città o monumenti visitare. La tua e-mail di risposta deve sembrare il testo di una brochure pubblicitaria. *(100-120 parole)*

Test finale

edizioni Edilingua

Conosciamo l'ITALIA

Periodico per ragazzi

Città italiane

1 What do you know about Italian cities and about some of their more famous monuments and places? Do the following quiz, on your own or with a classmate. If you don't know the answers, search for them on the Internet.

1 Il Colosseo, costruito nell'80 d.C., quanti spettatori poteva ospitare?

| 10 mila | 20 mila | 50 mila |

2 Piazza Navona si trova a Roma. Nell'antichità era:

| uno stadio | una piscina | una palestra |

3 Nella foto a destra vediamo:

| Piazza di Spagna | la Fontana di Trevi | il Circo Massimo |

4 Nella foto a sinistra vediamo:

| La Basilica di San Pietro | il Duomo di Milano | Il Duomo di Firenze |

5 Il palazzo nella foto a destra si trova a Firenze. Si chiama:

| Vecchio | Sforzesco | Ducale |

6 La Torre pendente, a sinistra, si trova:

| a Pisa | a Bologna | a Siena |

7 Questa a destra è Piazza San Marco. Si trova:

| a Napoli | a Palermo | a Venezia |

8 Quello a sinistra è il Ponte:

Vecchio a Firenze	di Rialto a Venezia	Sant'Angelo a Roma

9 A Venezia, 350 ponti uniscono 120 isole, collegate da 160 canali! Il canale più famoso si chiama:

Canal dei Sospiri	Canal Grande	Canal del Carnevale

10 Questo è il golfo di Napoli. Sullo sfondo vediamo:

l'Etna	le Alpi	il Vesuvio

Visitare tutti i tesori artistici d'Italia richiederebbe tantissimo tempo e denaro! Ma c'è anche una soluzione più economica: l'**Italia in miniatura**, a Rimini. In questo meraviglioso parco di divertimento, ogni anno più di mezzo milione di visitatori ammirano circa 300 miniature. "Miniature" per modo di dire: quella del Campanile di San Marco è alta 20 metri, mentre è possibile girare in barca alcuni canali di Venezia!

2 Go to the website for online @ctivities on Italian cities.

3 Progettiamo!

1 Lavorate in gruppo. Trovate brevi informazioni (10-15 parole) sui monumenti citati in queste pagine. Aggiungete delle foto e create una brochure di 2 o 4 pagine. Usate un linguaggio semplice perché lo scopo è informare non solo i vostri compagni di classe, ma anche quelli di altre classi! Infatti, potreste appendere la brochure a scuola o pubblicarla on line.

2 Lavorate in uno o due gruppi. Preparate il programma, quanto più dettagliato possibile, di una gita scolastica, programma che la vostra stessa classe potrebbe usare in futuro. Decidete la durata e le città da visitare. Prevedete, inoltre, i mezzi che userete per gli spostamenti interni, magari con i relativi orari, i monumenti principali e il tempo necessario per visitarli. Potete, infine, selezionare uno o due alberghi in ogni città, in base al budget che avrete stabilito. Alla fine potreste proporre la gita, prevedendo il necessario costo, al preside della scuola!

Solutions of the quiz: 1-rosso, 2-verde, 3-bianco, 4-rosso, 5-verde, 6-verde, 7-rosso, 8-bianco, 9-bianco, 10-rosso

Autovalutazione

What do you remember from Units 3 and 4?

1. Match each question to the correct answer. You will need to complete the answers with the following words: *piove, nevicherà, freddo, sole, caldo, sereno.*

1. – Che tempo fa oggi?
2. – Com'era il tempo?
3. – C'è il sole?
4. – È nuvoloso?
5. – Piove?

a. – Sì e dicono che presto ....
b. – No, ... da due giorni.
c. – Era molto nuvoloso, ma faceva ....
d. – No, è .... e splende il ....
e. – Fa .... anche se c'è il sole.

2. Which word or expression is the odd one out?

1. passaporto – valigia – viaggio – albergo – record
2. Non ci credo! – Mannaggia! – Non me lo dire! – Incredibile!
3. più dolce – dolcissimo – torta – meno dolce – il più dolce
4. Sardegna – Firenze – Venezia – Napoli – Siena
5. che – cui – questo – il quale – le quali

3. Complete the sentences, choosing the expressions you need from the list provided.

a. *è un'opinione diffusa* – b. *diciamo che* – c. *chi l'avrebbe detto* – d. *non è facile dire*
e. *per non parlare* – f. *stiamo parlando di* – g. *non sono sicuro che*

1. .... quale sia la città italiana più bella.
2. .... che ci saremmo incontrati proprio a Milano?
3. Certo, Milano è una città con molto traffico. .... dell'inquinamento!
4. Non dimenticare che .... una grande città.
5. Va bene, ... Milano è una città abbastanza accogliente.

4. Make sentences that contain the appropriate comparative (use *più, meno,* or *tanto/così ... quanto/come*) or superlative (absolute or relative).

1. Milano / una città piovosa / Napoli. (+) ....
2. Antonio e Marco / alto / Paolo. (=) ....
3. Le tue valigie / pesanti! (superlativo assoluto) ....
4. Firenze / caotica / Roma. (–) ....
5. Il Po / fiume / lungo / Italia. (superlativo relativo) ....

Check your answers on page 183.
Are you satisfied?

Castello Sforzesco, Milano

Per cominciare...

1 Which of the following types of reading material do you prefer? Talk about it with your classmates.

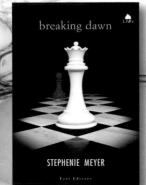    

letteratura per ragazzi   riviste   fumetti   letteratura "classica"   altro

2 How often do you go to a bookshop? On average, how many books do you read a year?

3 Listen to the start of the dialogue. How do you think the conversation will end?

4 Listen to the whole dialogue. Check whether you were right and choose the statements that are correct.

1. Giulia rivede Stefano per la prima volta dopo la gita.
2. Stefano sembra arrabbiato con lei.
3. Stefano non aveva voglia di rispondere alle telefonate di Giulia.
4. Non poteva risponderle perché aveva perso il cellulare.
5. Stefano ha provato più volte a telefonare a Giulia.
6. Stefano ha comunque ricevuto le foto che gli mandava Giulia.
7. Stefano non sa a memoria il numero di telefono di Giulia.
8. Giulia non crede alla storia di Stefano.

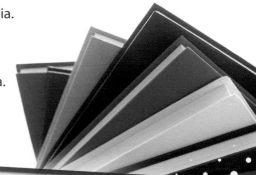

In this unit...   Glossary on page 175

1. ...we are going to learn to give explanations and to justify ourselves; to express an opinion, uncertainty, a will or desire, wishes or hopes, expectation, fear, and our state of mind; to talk about books;

2. ...we are going to learn to use the present and perfect subjunctive, and about the subjunctive mood and the agreement of tenses;

3. ...we will find information on the reading habits of Italian teenagers.

A Ma cosa ti prende?

1 Read the dialogue and put the sections of the comic strip (1-4) in the correct order.

IO CREDO CHE TU SIA ARRABBIATO PER LA GITA A MILANO!

OK, MI HA DATO UN PO' FASTIDIO ALL'INIZIO, MA NON È QUESTO IL MOTIVO.

ALLORA PERCHÉ NON RISPONDEVI AL TELEFONO?

SEMPLICEMENTE PERCHÉ... HO PERSO IL MIO CELLULARE!!

BEN TORNATA!

AH, CHI SI VEDE! SEI VIVO?

PERCHÉ DICI COSÌ?

PERCHÉ SEI SPARITO! IN TANTI GIORNI NEMMENO UN SMS!

HAI RAGIONE, MA SE SONO SPARITO, QUALCHE MOTIVO CI SARÀ, NO?

TUTTI NO... QUINDI FORSE NON È NEMMENO TANTO IMPORTANTE CHE TE LO DIA DI NUOVO.

L'IMPORTANTE È CHE TU MI CREDA... MA COSA TI PRENDE? SE NON CI SIAMO SENTITI PER ALCUNI GIORNI NON È POI LA FINE DEL MONDO!

INFATTI, TANTO SIAMO SOLO AMICI, VERO? ...CIAO STEFANO, CI VEDIAMO.

COSA?! QUANDO?

LUNEDÌ SCORSO, ERO IN UNA LIBRERIA, L'HO APPOGGIATO SUL BANCO E L'HO DIMENTICATO! E QUANDO SONO TORNATO, OVVIAMENTE NON C'ERA PIÙ! ECCO PERCHÉ NON POTEVO RISPONDERTI!

L'HAI APPOGGIATO SUL BANCO! ...E COME MAI NON HAI PROVATO A TELEFONARMI TU?

MA IL TUO NUMERO CE L'AVEVO SOLO SUL CELLULARE! CREDI CHE IO RICORDI TUTTI I NUMERI?

2 Use the following key words to help you orally summarise the dialogue.

tornata   messaggio   sparito   cellulare

libreria   telefonare   arrivederci

3 Complete the following sentences with the correct form of some of the expressions high-lighted in blue in the dialogue.

1. Noi ti aspettiamo, ma se non ce la fai, pazienza, non sarà ....

2. Bello questo telefonino, ma è inutile che io lo guardi. .... non avrò mai abbastanza soldi per comprarlo!

3. Sai cosa ....? La gente che grida al cellulare!

4. Perché dici così?! Ma .... adesso? A volte non ti capisco!

4 A few hours later Stefano is chatting with one of his friends. Choose the correct forms of the verbs provided.

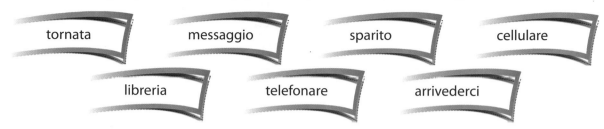

Luc2: Davvero se n'è andata così? Ma perché?

Stef: Perché non le telefonavo da tanti giorni!

Luc2: Le hai detto che hai perso il cellulare, no?

Stef: Non mi crede! Pensa che io sia/siamo/siano arrabbiato per la gita a Milano.

Luc2: Ma dai!

Stef: Non solo, trova assurdo che io non prenda/finisca/ricordi il suo numero!

Luc2: Beh, pure tu... almeno il suo numero dovresti ricordarlo.

Stef: Lo so... Perciò dice che è inutile che lo chieda/cancelli/parli di nuovo!

Luc2: E adesso? Non mi dire che finirà così...

Stef: Boh, devo trovare il suo numero di cellulare. Non so come finirà, ma per me è importante che Giulia mi creda/credano/crediamo.

The verbs in the exchange between Stefano and his friend are in the congiuntivo presente. Are you able to work out which verbs these are? Are you also able to work out what the subject is?

5 With a partner, try to complete the following table.

Congiuntivo presente

	are ➪ i		ere ➪ a		ire ➪ a / isca	
	Parlare		**Prendere**		**Partire**	
	Anna pensa che:		Bisogna che:		È necessario che:	
io	parli		prenda		parta	
tu	parli		....		parta	
lui, lei	....	troppo.	prenda	delle	parta	subito.
noi	parliamo		prendiamo	vitamine.	....	
voi	parliate		prendiate		partiate	
loro	parlino		prendano		partano	
	Essere		**Avere**		**Finire**	
	Lei spera che:		Può darsi che:		Dubita che:	
io	sia		abbia		finisca	
tu	sia		abbia		finisca	
lui, lei	....	d'accordo.	abbia	ragione.	finisca	in tempo.
noi	siamo		abbiamo		finiamo	
voi	siate		abbiate		finiate	
loro	siano		abbiano		finiscano	

p. 155

6 Make sentences (orally) using the present subjunctive of the verb in brackets.

1. Bisogna che tu *(studiare)* di più, la nuova prof è esigente, sai.
2. Marco, non è possibile che tu *(perdere)* sempre la prima ora perché gli autobus non passano!
3. Signora, mi sembra che Lei *(preoccuparsi)* troppo! Vedrà che il suo cagnolino tornerà presto!
4. Mi pare che voi non *(avere)* voglia di venire con noi al Luna Park.
5. Cecilia, è necessario che tu *(pulire)* la tua camera prima della festa!

1 - 4

B Spero che...

1 Listen to the sentences and complete them. Then, match each one to its function, as in the example in blue.

1. .... che tutto finisca bene.

2. .... che tu debba accettare di uscire con lui.

3. .... anche tu che Gianni dica spesso bugie?

4. .... che Stefania mi porti il libro che le avevo prestato; glielo puoi dire?

a. volontà / desiderio

b. augurio / speranza

c. attesa

d. opinione soggettiva

5. .... che comincino le vacanze!

c

6. I miei non .... che .... faccia molto tardi stasera.

7. .... che veniate tutti alla mia festa!

8. .... che torni mia madre prima di uscire.

2 What does the subjunctive express and when is it used? Match a sentence to what it expresses.

Uso del congiuntivo

The subjunctive mood is used in clauses that are dependent on other clauses (in blue) that generally express subjectivity, a will or desire, uncertainty, a state of mind, etc. Only, however, **when the two verbs have different subjects**. In particular, when they express:

Opinione soggettiva ●	● Sono felice/contento che tu stia bene.
Incertezza ●	● Aspetto che smetta di piovere per uscire.
Volontà/Desiderio ●	● Credo/Penso che si chiami Anna.
Stato d'animo ●	● Ho paura / Temo che lui cambi idea.
Speranza/Augurio ●	● Voglio / Non voglio che tu legga questo libro.
Attesa ●	● Spero / Mi auguro che la festa abbia successo.
Paura ●	● Non sono sicuro/certo che Mario sia un vero amico.

p. 156

Note! If a sentence expresses certainty or objectivity, the indicative mood is used:
Sono sicuro che lui è un amico. / So che si chiama Luca. / È chiaro che hai ragione.

3 Work with a partner. Person *A* will choose an element from each of the blue columns and, using the subjunctive, write the start of a sentence that person *B* will complete (however they like) in the yellow column.

Aspetto che	voi	(*tornare*)	....
Sei felice che	tu	(*parlare*)	....
Speriamo che	Andrea	(*capire*)	....
Credi che	Gina	(*credere*)	....
Vuoi che	loro	(*avere*)	....
Ho paura che	tu	(*finire*)	....
Non siamo sicuri che	io	(*partire*)	....

4 In activity B1 we came across a number of irregular subjunctives: debba, dica, faccia. What verbs do you think they are? Turn to page 156 to check whether you are right.

5 What is your relationship with books? Do the following test and calculate your score (2 points for answers in red, 1 for those in blue and 0 points for those in grey). What advice do you think your score will generate? Take a guess and then turn to page 72 to see whether you are right.

1. Preferisci leggere

libri   fumetti e riviste   sms

2. Quanti libri hai letto negli ultimi due anni?

Più di 5   Tra 2 e 5   Meno di 1!

3. Scegli un libro in base

alle recensioni   a dei consigli   al titolo

4. Sulla copertina di un libro di solito c'è il nome

del lettore   dell'autore   del tipografo

5. Leggere libri significa

passare il tempo   viaggiare con la mente   stancare il cervello

6. I libri di J. K. Rowling e J.R.R. Tolkien

raccontano storie vere   sono diventati anche film   non li conosco

7. L'ultima volta che sei entrato in una libreria

era perché fuori pioveva   avevi 4 anni   hai comprato un libro

8. Un professionista che vende libri si chiama

bibliotecario   libraio   Gianni

STOP **Fine Prima parte** pagina 146

5 - 8

A Sembra che si sia pentito...

1 Close your books and listen to the dialogue. Then, as a group, try to summarise what you have heard: each person can only speak for 10 seconds. The teacher will decide, every 10 seconds, who will speak next!

Italiano per stranieri — **Letteratura italiana**

VA BE', MA NE AVREI UN'ALTRA: LO SAPETE CHE LA STESSA STORIA DEL CELLULARE L'HO LETTA IN "AMORE 14"... DI FEDERICO MOCCIA? PUÒ DARSI CHE STEFANO ABBIA RUBATO L'IDEA!

TI RICORDO CHE NEL LIBRO LA RAGAZZA PERDE VERA-MENTE IL CELLULARE, ANZI GLIELO RUBANO! NON È POS-SIBILE CHE A STEFANO SIA SUCCESSO LO STESSO?

RAGAZZI, NON SO COSA CREDERE... A PROPOSITO, IN QUALE REPARTO LO TROVO 'STO LIBRO?

2 With a partner, choose two of the expressions highlighted in blue in the text and write two sentences. The two sentences could take the form of a question and its answer.

....

....

3 In your opinion, how will things end up between Stefano and Giulia? Talk about it with your classmates.

4 In the dialogue we came across a second subjunctive tense - the perfect subjunctive. Study the following table:

Congiuntivo passato

Maria crede che io l'abbia presa in giro, ma non è così.
Può darsi che abbiano cambiato idea all'ultimo momento.

Credo che tu non sia stata del tutto sincera con me!
Sono contento che voi siate riusciti a venire stasera.

p. 157 9 e 10

5 When do you think we use the present subjunctive? When do we use the perfect subjunctive?

La concordanza dei tempi del congiuntivo

If the verb of the main clause is in the present tense, our choices are as follows:

Credo che Giulia	chiami / chiamerà Stefano. (tomorrow, in the future)
	chiami Stefano. (today, in the present)
	abbia chiamato Stefano. (yesterday, in the past)

p. 157

6 Complete the following sentences orally, putting the verbs in white in either the present or the perfect subjunctive.

1 Ma è possibile che a Marco i genitori comprare il motorino?! Come li ha convinti?

2 Non sono sicura che Luca mi prendere molto sul serio.

3 Caterina ha paura che tu non le chiedere di uscire di nuovo.

4 La prof pensa che io non capire ancora il congiuntivo. Infatti, non l'ho capito...

5 I miei sono contenti che mio fratello decidere di iscriversi all'università.

7 Work with a partner. Try to complete the sentences with the correct forms of the verbs provided in the red 'word snake'. The verbs are in the correct order. Be careful, though: the subjunctive isn't always required! Compare your answers to those of your classmates.

1. Temo che lui .... tutto con il suo comportamento.

2. Sei sicura che i ragazzi .... presto ieri sera?

3. Siamo contenti che .... tutto bene.

4. Non sono sicuro che .... Angela a dare il tuo numero a Fabio.

5. Ho paura che Ilaria non .... l'ora dell'appuntamento.

6. Non sono certo che Mario .... tutta la verità.

7. I miei sono felici che .... il loro invito! Vi aspettano stasera!

8. So che Antonio .... molto, si vede.

ROVINARE TORNARE ANDARE ESSERE CAPIRE DIRE ACCETTARE STUDIARE

🔊 11

B Abilità

💬 **1** "Come andrà a finire?". When you read, do you have a good imagination? When you start a book, are you able to predict how it will end? Can you remember a book you have read where the ending was totally unexpected? Talk about it with your classmates.

2 Let's see how good you are. Read the plots of the following books and, with a partner, try to match them to the endings given below. Be careful, though: there are two endings more than you need!

1 **Love Factor.** Estella ha un sogno: cantare. Suo padre, però, l'ha sempre ostacolata e l'ha obbligata a frequentare il liceo linguistico invece del conservatorio. Ora, finita la scuola, Estella ha capito che per essere felice deve seguire la propria strada. I suoi sogni cominciano con un casting per il più famoso reality musicale del momento. Partecipare a "Musica per un Sogno" non significherà solo dimostrare il suo talento, ma anche trovare l'amore vero...

2 **L'isola dell'avventura.** Per sfuggire al Grosso, il bullo della scuola, Fabio decide di seguire lo zio biologo in una spedizione scientifica in Madagascar insieme alla cugina Deva, una bella ragazza con disturbi alimentari. Fabio vivrà un'esperienza indimenticabile in uno dei paradisi più belli e più poveri del pianeta. Sembra che la gente sia felice e sorrida sempre, anche se duecento bambini di un piccolo villaggio non potranno mai studiare perché non si trovano i cinquanta euro necessari per terminare la costruzione della scuola.

3 **Scarlett.** Nella sua nuova scuola Scarlett, 16 anni, conosce Umberto, che le fa subito la corte. Ma Scarlett capisce che la sua compagna di banco, Caterina, è innamorata di lui. Cosa scegliere: l'amore o l'amicizia? La risposta arriva al concerto della scuola, quando sul palco sale Mikael, un ragazzo con gli occhi chiari come il ghiaccio che la cercano in mezzo alla folla. Ma è troppo bello e troppo strano per essere vero: solo Umberto sembra conoscere il suo segreto. Chi è veramente? A che cosa bisogna che stia attenta Scarlett?

4 **Mi piaci ancora così.** Luca crede che per costruire qualcosa di bello nella vita non possa fare altro che andarsene dall'Italia e iscriversi a Berkeley. E Alice non può che accettare la sua scelta e accontentarsi di Skype. Ma ha paura che il loro rapporto diventi un "quanto mi manchi", paura che Luca si innamori di un'altra, che scopra una vita più divertente, che si dimentichi di lei... I due scopriranno di essere molto diversi da quel che credevano. È possibile che la lontananza cancelli il loro amore?

A. L'amore si dimostra più forte di ogni ostacolo.

B. Le due amiche realizzano il loro sogno comune.

C. Al ritorno a casa è una persona nuova e pensa di aver imparato il vero significato della vita.

D. Grazie a quello che scopre riesce a tornare alla sua vita normale, senza gli incubi del passato.

E. Con l'aiuto dei suoi amici, riesce a salvarsi dal pericolo in arrivo.

F. Alla fine decide che la carriera può aspettare un po' e vive il suo amore.

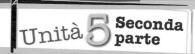
3 Parliamo

1. Quale dei libri visti comprereste? Quale no? Scambiatevi idee.
2. Secondo voi, quale di queste trame potrebbe diventare la sceneggiatura di un buon film e perché? Quali attori scegliereste per interpretare i personaggi del libro?
3. Raccontate brevemente la trama di un libro che vi è piaciuto molto.
4. Descrivete e commentate queste due foto. Quali sono i pro e i contro dell'e-book? Motivate le vostre risposte.

4

In activity B2 we came across, highlighted in blue, some impersonal expressions followed by a verb in the subjunctive. Turn to page 157 for a full list of expressions that require the subjunctive.

➡12

5 Ascoltiamo (turn to the Workbook, page 133)

6 Situazione

⊃ **Student A:** turn to page 147.
⊃ **Student B:** turn to page 149.

7 Scriviamo — □ x

Vai al cinema per vedere un film tratto da un libro di grande successo, che però non hai letto. Purtroppo... ti addormenti a metà film e ti perdi la fine! Vai a casa molto confuso e decidi di scrivere un'e-mail a un tuo amico che ha letto il libro, ma non ha ancora visto il film. Gli racconti quello che sei riuscito a capire e gli fai delle domande per ricostruire la trama! *(100-120 parole)*

➡ Test finale

Conosciamo l'ITALIA

Periodico per ragazzi

ISTAT

Leggere libri...

I giovani italiani amano leggere, ma meno di un tempo e probabilmente meno dei loro coetanei di altri Paesi. Ma quanto amano leggere? E soprattutto cosa?

1 With a partner, study these tables and write a comment or observation for each. Compare your ideas to those of others in the class.

Quanto?		12-14 anni	15-17 anni
frequenza	tutti i giorni	17,7	15,1
	una o più volte a settimana	36,9	28,2
	una o più volte al mese	23,7	25,8
	più raramente	20,3	27,8
libri all'anno	da 1 a 3	36,9	35,8
	da 4 a 6	25,4	25,2
	da 7 a 12	19,6	19,4

in %

Cosa?	12-14 anni	15-17 anni
romanzi, racconti, poesia, teatro (autori italiani)	38,5	47,7
romanzi, racconti, poesia, teatro (autori stranieri)	27,8	35,4
gialli, noir	17,8	27,2
fantascienza	31,9	19,6
fantasy, horror	34,8	27,0
umoristici	33,5	32,3
libri a fumetti	44,3	28,8

in %

2 In your opinion, why do we read fewer books now than in the past? And, if statistics are to be believed, why do boys read less than girls? Talk about it with your classmates.

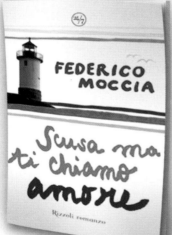

Negli ultimi anni, in Italia, diversi libri di successo che hanno per protagonisti dei giovani sono diventati film di altrettanto successo.

Questo ha portato alla pubblicazione di più libri per ragazzi e a un aumento della lettura in generale: c'è chi guarda il film e poi legge il libro e chi fa il contrario (nessuno però legge il libro mentre guarda il film!).

...e fumetti

L'Italia ha una lunga tradizione nei fumetti e non sono pochi gli adolescenti (e gli adulti) che sono appassionati degli eroi italiani. Vediamo quelli più importanti.

3 Look at the book covers and complete the texts by adding the names of the heroes.

1. L'anti-eroe _____ è "nato" nel 1962. È un ladro dallo sguardo di ghiaccio e invincibile che ha ispirato film, videogiochi e altri fumetti. Vestito di nero, il suo costante scopo è rubare denaro e gioielli a ricche famiglie, banche o ad altri criminali.

2. Creato nel 1982, _____ è il "detective dell'impossibile". Infatti, è un professore che indaga su misteri non risolti: Atlantide, gli UFO, enigmi della storia, dell'archeologia e della scienza.

3. Creato nel 1986, è il fumetto italiano più venduto e più cult, con milioni di fan in Italia e all'estero, tant'è vero che è diventato anche un film. Protagonista di questa fortunata serie horror è _____ "l'indagatore dell'incubo", che vive a Londra e affronta mostri di ogni tipo per risolvere, sempre con ironia, casi misteriosi.

4. Una leggenda del fumetto italiano, pubblicato senza interruzioni dal 1948! _____ è un popolarissimo eroe che rappresenta la versione italiana del genere *western*. Amico degli indiani, difende i deboli da qualsiasi ingiustizia.

5. Creato nel 1967 dal disegnatore Hugo Pratt e tradotto in molte lingue, _____ è un marinaio degli inizi del XX secolo che ama l'avventura. Parla poco e conosce, durante i suoi viaggi, molti personaggi famosi del suo tempo. È stato anche protagonista di diversi cartoni animati.

4 Go to the website for online @ctivities on books and Italian comics.

5 Progettiamo!

1 Lavorate a coppie. Con l'aiuto di google.it alcune coppie cercheranno informazioni e immagini su uno scrittore / una scrittrice italiano/a degli ultimi 40 anni e ne faranno una breve presentazione alla classe. Altre coppie faranno lo stesso con quello che riterranno essere l'autore più importante nella storia della letteratura italiana.

2 *La battaglia dei fumetti!* Lavorate in piccoli gruppi. Selezionate uno degli eroi di questa pagina e preparatene una breve presentazione: personaggio, curiosità, battute, disegni e pagine dai fumetti. Praticamente dovete dimostrare agli altri gruppi che il vostro eroe è il migliore!

What do you remember from units 4 and 5?

1. Sapete...? Match the two columns.

1. esprimere un'opinione soggettiva
2. esprimere incertezza
3. esprimere attesa
4. esprimere paura
5. esprimere uno stato d'animo
6. esprimere volontà
7. esprimere speranza

a. Aspetto che tu finisca di studiare prima di accendere lo stereo.
b. Mi fa piacere che Anna sia venuta a trovarci.
c. Penso che Luca si stia annoiando.
d. Non voglio che guardiate questo film.
e. Temo che lo spettacolo sia già iniziato.
f. Non sono sicura che gli piaccia il mio vestito.
g. Mi auguro che i miei amici non si siano stancati.

2. Which word or expression is the odd one out?

1. sia – abbia detto – andremmo – abbiate – finiscano
2. fumetti – riviste – libri – dischi – giornali
3. finiate – sia rimasto – abbia rubato – abbiano inventato – siano usciti
4. Lombardia – Toscana – Sicilia – Napoli – Lazio
5. più caotico – meno accogliente – vivacissimo – furbo – il più intelligente

3. Find, in these two sequences of letters, three superlative adjectives and seven words connected to literature.

agrttipomknlibroopiubellissimoytrgbonfumettotrouyebooktriderilpiùgrandeti

fantasygtgiovanissimaoromanzortulibreriamnjileggerejhgtre

4. Complete the following sentences with the verbs provided.

vi siate divertiti – ha telefonato – possa – abbia pensato – vi siete divertiti – è

1. So che Marco .... a Maria.
2. Sembra che Giulia .... molto a Stefano.
3. Ho paura che tu .... perdere il treno.
4. Sappiamo tutti che Paolo ....
   un vero amico.
5. Ho sentito che ieri ....
6. Mi auguro che ieri ....

Check your answers on page 183.
Are you satisfied?

Mole Antonelliana, Torino

Per cominciare...

1 What is more important to you at the moment, love or friendship? With a partner, think of as many words as possible (nouns, adjectives, verbs) to describe these two sentiments.

amore ....

amicizia ....

2 Do you remember everything that has happened between Stefano and Giulia? Tell their story, using the pictures to help you.

3 Listen to Giulia's half of a telephone conversation with Stefano. What do you think Stefano is telling her?

4 Listen to the whole dialogue. Check whether you were right and choose the statements below that are correct.

1. Stefano chiama Giulia per
   A chiederle scusa
   B farle cambiare idea
   C chiederle un favore

2. Alla fine Giulia
   A sembra credergli
   B crede che lui sia un bugiardo
   C chiede tempo per riflettere

In this unit... Glossary on page 176

1. ...we are going to learn to talk about feelings and how to clear things up with someone; to allow and to tolerate; to talk about love and holiday plans; to use gestures to communicate;

2. ...we are going to learn about the indicative mood and agreement of tenses; which conjunctions introduce the subjunctive; the impersonal form;

3. ...we will find information on Italy and the Italian people.

A TVB*

*Ti voglio bene

1 Read the dialogue and check your answers to the previous activity.

PRONTO? OH, CIAO STEFANO. MA NON HAI DETTO CHE AVEVI PERSO IL MIO NUMERO?

INFATTI, ME L'HA RIDATO ALESSIA POCO FA. LE HO SPIEGATO CHE TI VOLEVO PARLARE.

OK, TI ASCOLTO.

ALLORA, PENSA A QUESTO: SE, COME SOSTIENI, HO MENTITO, PERCHÉ ORA CERCHEREI DI FARTI CAMBIARE IDEA?

IO NON HO DETTO CHE HAI MENTITO, PERÒ...

MA SI VEDE CHE NON MI CREDI! E SECONDO ALESSIA, TI HO FERITA.

FERITA NO, MA...

SCUSA, FAMMI FINIRE, SE NO PERDO IL FILO. SE QUELLO CHE PENSI DI ME È VERO, ALLORA PERCHÉ DOVREI INSISTERE? POTEVO SEMPLICEMENTE AMMETTERE CHE NON TI VOLEVO PARLARE.

FORSE HAI CAPITO IL TUO ERRORE.

NO, È CHE TI VOGLIO BENE FIN DAL PRIMO MOMENTO. SÌ, CI SONO RIMASTO MALE, MA POI HO CAPITO CHE VOLEVI ANDARE A MILANO, CHE MERITAVI DI ANDARCI DOPO IL CONCORSO MUSICALE.

MA PERCHÉ NON MI HAI DETTO TUTTO QUESTO L'ALTRO IERI?

IO CI HO PROVATO, MA TU TE LA SEI PRESA E TE NE SEI ANDATA. CREDEVO CHE MI AVRESTI CAPITO, INVECE TU...

SCUSAMI, MA METTITI NEI MIEI PANNI: TI AVEVO INVIATO MESSAGGI, FOTO, TI AVEVO TELEFONATO TANTE VOLTE E...

LO POSSO CAPIRE, MA IO NON CONOSCEVO ALTRI TUOI COMPAGNI A CUI CHIEDERE IL TUO NUMERO DI TELEFONO E... UN PO' MI VERGOGNAVO.

GIULIA!

SÌ, MAMMA, VENGO! SCUSA STEFANO, DEVO ANDARE... CI VEDIAMO DOMANI A SCUOLA.

OK, CIAO, BUONA DOMENICA.

2 Without reading the dialogue again, answer the following questions.

1. Come ha fatto Stefano a ritrovare il numero di Giulia?
2. Perché Stefano non riusciva a trovare il numero di telefono di Giulia?
3. Perché Stefano insiste?
4. Alla fine della telefonata Giulia è ancora arrabbiata con Stefano?

3 There are six expressions highlighted in blue in the dialogue. With a partner, match them to those listed below. Then, choose one to make a sentence.

ti sei arrabbiata
mi confondo
ci tengo a te
nella mia mente
sei tornata

al mio posto
sei andata via
hai deciso
lasciami concludere
perdo la pazienza

....

4 Giulia is texting Alessia. Complete their messages with the correct form of the verbs provided. They are in the correct order.

chiamare   riuscire   ferire   esagerare   potere   capire

MI HA
CHIAMATO
STEF.

SÌ, ME L'HA
DETTO CHE TI
....
....

DICE CHE MI
VUOLE BENE...
E CHE NON
....
....
A TROVARE IL
MIO NUMERO.

IO GLI HO
DETTO CHE TI
....
....

LO SO.
CREDI CHE IO
....
............................?

BOH! ANCHE
LUI PERÒ
....
SPIEGARE
MEGLIO LA
SITUAZIONE,
NO?

CREDEVA
CHE IO
....
....
INVECE SONO
UNA SCEMA!

INFATTI! E
ADESSO?

5 Study the table and answer the question.

La concordanza dei tempi dell'indicativo

| So che | telefoni/telefonerai a Giulia domani.
telefoni spesso a Giulia ultimamente.
le hai telefonato ieri/le telefonavi spesso. |
| Ho saputo che / Sapevo che | avresti telefonato a Giulia il giorno dopo.
telefonavi spesso a Giulia in quel periodo.
avevi telefonato a Giulia il giorno prima. |

p. 157

What colour are the sentences that express an action that takes place after (in other words, future), at the same time as, and before (in other words, past) the action expressed in the *main clauses*?

6 *Giochiamo a filetto!* Divide into two groups and take two minutes to prepare. Each team will begin a sentence that the other team must finish, using any tense other than the present tense! If the team does this correctly, they will be able to put a O or a X anywhere in the grid below. If you want, you can even use the subjunctive (see the table on page 70).

1 - 5

B Va bene...

1 Listen to the sentences and match them to the photos. Be careful, though: there is one photo more than you need!

a

b

c

d

e

f

2 Listen again and check your answers to the previous activity. Then, complete the table with the expressions you heard.

Permettere - Tollerare

....

....

....

Fa' come vuoi!

....

3 Your teacher will choose someone from the class at random. Everyone else will each think of a question to ask that person, or of a suggestion to make to them. The chosen classmate will answer using the expressions in the table above.

-play

6

4 The central theme of this unit (and of the book generally) is love. Who is the 'protector' of those in love? Exactly!
Read the text and decide whether the statements below are true or false.

Perché oggi è San Valentino?

Che cosa avrebbe fatto questo Santo per diventare patrono degli inna-morati? Grazie a un miracolo, il vescovo e martire cristiano (176-273) ha otte-nuto la fama di santo dell'amore.

Quale?
Riguarda una coppia di innamorati che il giovane vescovo avrebbe incontrato mentre stavano liti-gando. Si dice che li abbia fatti riconciliare facendo volare intorno a loro decine di coppie di piccioni. Da questo episodio deriverebbe anche l'espressione «piccioncini» riferita agli innamorati.

La festa degli innamorati è legata al culto di questo santo?
Probabilmente no. Avrebbe origini più antiche, e precisamente nei «lupercalia» che i romani celebra-vano il 15 febbraio; una festa dedicata alla fertilità.

Quando ha cominciato a diventare un'occasione di ottimi affari?
Già nell'Ottocento alcuni imprenditori statunitensi hanno cominciato a produrre biglietti su scala in-dustriale e gli ottimi affari hanno reso la festa molto popolare.

Ma è una festa sentita in tutto il mondo?
Un po' in tutto il pianeta ci sono eventi o riti in questo giorno ma l'impulso maggiore lo ha dato la cul-tura anglosassone. L'attenzione, quindi, è maggiore nei Paesi influenzati da questa cultura.

Qualche esempio?
Un po' ovunque si cena a lume di candela. In Inghilterra o negli Stati Uniti sono di gran moda i biglietti anonimi con innamorati che decidono di inviare fiori o cioccolatini senza rivelare la propria identità. Sempre negli Usa, si comincia già alle scuole elementari con bigliettini decorati con i personaggi dei cartoni animati e soprattutto dei fumetti. In Spagna vanno fortissimo le rose rosse, in Olanda i cuori di liquirizia.

È vero che in Giappone sono le ragazze a fare regali?
Esatto. La tradizione prevede che siano le ragazze a regalare una scatola di cioccolatini ai ragazzi, non solo fidanzati e mariti ma anche amici, colleghi di lavoro o superiori. Chi riceve i cioccolatini, deve ricambiare il dono un mese dopo con del cioccolato bianco.

tratto da Focus

1. La leggenda di San Valentino è legata a un miracolo.
2. Anche i romani avevano un santo dell'amore.
3. San Valentino è vissuto in Italia.
4. La festa è diventata un evento commerciale negli Stati Uniti.
5. La festa di San Valentino è sconosciuta o vietata in alcune parti del mondo.
6. In Inghilterra si usa inviare regali in forma anonima.
7. In alcuni Paesi anche i bambini partecipano alla festa.
8. La festa di San Valentino è molto sentita nel Nord Europa.
9. A Venezia, il giorno di San Valentino, ci sono molte manifestazioni.
10. In Giappone si festeggia in maniera diversa dall'Occidente.

The text contains a few expressions highlighted in blue: this is the impersonal form, which we will talk about in the second part of the unit.

STOP Fine Prima parte pagina 146

A ▸ Cosa farete in estate?

1 Look at the pictures and try to work out what the teenagers are saying to each other.

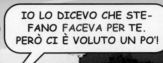

PERCHÉ I SUOI HANNO UNA CASA UN PO' FUORI IMPERIA, DOVE I MIEI HANNO PRENOTATO PER LUGLIO! INCREDIBILE, NO? STEFANO DICE CHE È "IL DESTINO"!

IO LO DICEVO CHE STEFANO FACEVA PER TE. PERÒ CI È VOLUTO UN PO'!

E COME MAI FARETE LE VACANZE INSIEME?

COMUNQUE, RAGA, È STATO UN ANNO BELLO, NO? BUONA ESTATE!

2 Read and listen to the dialogue to check whether you were right.

3 Answer the questions. If necessary, listen to the dialogue again.

1. Cosa farà in estate Alessia?
2. Chi dei ragazzi non andrà al mare e perché?
3. Come mai Giulia passerà le vacanze insieme a Stefano?
4. Com'è andata a finire la storia tra i due?

4 Listen to some of the lines from the dialogue and then complete the following sentences.

1. – Ultimamente Anna è molto fredda con me! – Davvero? ....?
2. – Io quest'estate andrò in Sardegna! – ....!
3. Sai come la penso: Gino è molto simpatico, ma non ....
4. Ma lei parla sempre male di te: .... amica!

5 We came across the following sentences in the dialogue:

"Io e i miei pensiamo di andare per un mese dai nonni".

"Ora so che è innamorato anche lui".

Can you explain why the subjunctive hasn't been used? Study the table on the next page: were you right?

Quando non usare il congiuntivo

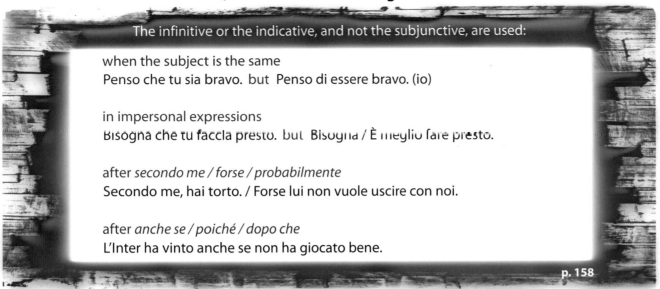

The infinitive or the indicative, and not the subjunctive, are used:

when the subject is the same
Penso che tu sia bravo. but Penso di essere bravo. (io)

in impersonal expressions
Bisogna che tu faccia presto. but Bisogna / È meglio fare presto.

after *secondo me / forse / probabilmente*
Secondo me, hai torto. / Forse lui non vuole uscire con noi.

after *anche se / poiché / dopo che*
L'Inter ha vinto anche se non ha giocato bene.

p. 158

6   Now study the following table: after which conjunctions is the subjunctive required?

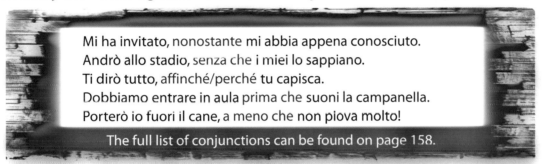

Mi ha invitato, nonostante mi abbia appena conosciuto.
Andrò allo stadio, senza che i miei lo sappiano.
Ti dirò tutto, affinché/perché tu capisca.
Dobbiamo entrare in aula prima che suoni la campanella.
Porterò io fuori il cane, a meno che non piova molto!

The full list of conjunctions can be found on page 158.

7   Put the words in order to make sentences, using the correct tense to conjugate the verbs. The word highlighted in yellow needs to go first in each case.

1. comprare | di | scooter | Anna | pensa | uno

2. importante | è | l'esame | che | superare | tu

3. la festa | arriverò | prima | finire | che

4. fare | bisogna | sempre | colazione

5. fa | nonostante | essere | freddo | maggio

9 - 11

B Si parla... anche con le mani

1 A cultural trait particular to Italians is the fact that they talk with their hands - they use gestures while they speak to ensure they are fully understood. Look at these pictures and match them to the lines from the dialogue.

a. Macché, sei matta?!

b. Ma perché non mi hai detto tutto questo l'altro ieri?

2 Study these pictures of the characters in our story and, with help from your teacher, try to imitate them. Are similar gestures used where you come from?

Ma che vuoi?

Mandare a quel paese qualcuno

Ma è possibile?

Vado via

Mannaggia a te!

Chi se ne importa o non me ne importa niente

Preciso, esatto

Buono

3 Work with a partner. Create a short conversation where one of you responds with a gesture to something the other says.

4 The form "si parla" is similar to the forms we came across on page 82 (B4): si dice, si cena, si comincia ... . In other words it is an impersonal form, and it is used when the action interests us more than the person carrying it out.

Study the table on page 87.

La forma impersonale

In mensa uno mangia molto bene. ➡	In mensa si mangia molto bene.
Se uno non studia, non impara. ➡	Se non si studia, non si impara.

p. 158

Note: Uno si diverte molto. ➡ NOT ~~Si si~~ diverte molto. BUT Ci si diverte molto.

5 **Make sentences as in the example.**

In Italia *(viaggiare)* spesso in treno.
a. *In Italia si viaggia spesso in treno.* **b.** *In Italia uno viaggia spesso in treno.*

1. Per comprare un'auto ibrida *(dover pagare)* parecchio.
2. In questo ristorante *(mangiare)* bene.
3. Di solito *(non telefonare)* in casa di altri dopo le dieci di sera.
4. In una città come Firenze *(spendere)* molto per vivere.
5. In Italia *(gesticolare)* molto quando *(parlare)*.
6. Negli ultimi anni *(sposarsi)* dopo i trent'anni.
7. L'anno scorso per la gita *(partire)* presto.
8. Sabato scorso, alla festa di Alberto, *(ballare)* fino a tardi.

12

C Abilità

1 **Ascoltiamo**
(turn to the Workbook, page 141)

2 **Situazione**

➲ **Student A:** turn to page 147. ➲ **Student B:** turn to page 149.

3 **Parliamo**

1. Cos'è più importante per voi, la persona che vi piace o gli amici?
2. Parlate delle storie d'amore alla vostra età: come iniziano, come finiscono, per quali motivi si litiga, dove si va quando si esce ecc.
3. Cosa pensate di chi sceglie di mettere fine a una relazione con un sms? L'avete mai fatto?
4. Cosa pensate della festa di San Valentino? Fate qualcosa di particolare in questa giornata?

4 **Scriviamo** _ ☐ ✕

Da un paio di mesi stai con qualcuno, ma ti rendi conto di non essere più innamorato/a di lei/lui. Non vuoi assolutamente ferire l'altro e non riesci a dirglielo né di persona né con un sms! Decidi, quindi, di scrivere un'e-mail in cui spieghi la situazione o, eventualmente, trovi una scusa per rompere. *(100-120 parole)*

Test finale

87

Conosciamo l'ITALIA

Periodico per ragazzi

Italiaquiz

1 We have reached the end of *Progetto italiano junior*, but clearly not the "end" of Italian! Let's see how much you remember about Italy and the Italian people. The person with the most correct answers (given on page 183) ... wins!

Questi tre tipi di pasta sono:

a. spaghetti, fettuccine, farfalle
b. penne, fettuccine, farfalle
c. spaghetti, penne, tortellini

1

In Italia, nel pomeriggio i negozi di abbigliamento di solito chiudono:

a. alle 18.00
b. alle 19.30
c. alle 20.30

2

Si dice che la storia della pasta sia legata:

3

Due nomi di battesimo italiani molto diffusi sono:

a. Claudio e Marta
b. Giacomo e Anna
c. Paolo e Giulia

4

a. agli Etruschi

b. a Cristoforo Colombo

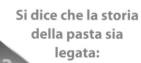

c. a Marco Polo

In Italia ci sono circa 10.000:

a. biciclette
b. parchi nazionali
c. agriturismi

5

Una delle marche a destra non è italiana, quale?

6

a NIKE

b SUPERGA

c STEFANEL

d DIESEL

e GEOX

Il giro d'Italia è una famosa gara:

a. in bici
b. a cavallo
c. tra auto

7

Il calcio fiorentino (foto a sinistra) risale al:

a. 100 a.C.
b. 1300 d.C.
c. 1930

8

a. Tiziano Ferro

b. Giusi Ferreri

c. Eros Ramazzotti

d. Vasco Rossi

Quale degli artisti a sinistra ha vinto il Festival di Sanremo?

9

a. Loren

Chi non ha (mai o ancora) vinto un Oscar?

10

b. Fellini

c. Benigni

d. Salvatores

e. Bellucci

a

b

c

Quale dei fumetti a sinistra è il più "vecchio"?

11

Quale di queste città si trova nel Nord Italia?

12

a. Firenze

b. Milano

c. Napoli

2 Go to the website for online @ctivities on the topics from this unit.

3 **Pr⊙gettiam⊙!**

1 Lavorate in gruppi di 3-5 persone. Create brevi video (durata massima 2 minuti) o PowerPoint per presentare l'Italia e gli aspetti che considerate più belli: la cucina, i monumenti, la moda, il design ecc. Caricate i vostri lavori sul canale YouTube di *Progetto italiano Junior* e pubblicizzateli fuori dalla classe e dalla scuola. La presentazione più visualizzata vince!

2 Lavorate in piccoli gruppi. Immaginate che ci sia un *Progetto italiano Junior 4*! Scrivete 6 brevi episodi della storia, sempre con gli stessi protagonisti. Presentate le vostre sceneggiature alla classe che voterà la migliore!

3 Selezionate uno dei dialoghi del libro e, con un cellulare o una videocamera, giratelo! Più che il dialogo stesso, una vostra versione, divertente o diversa. Caricate i vostri video (della durata massima di 2 minuti) sul canale YouTube di *Progetto italiano Junior* e partecipate al nostro concorso insieme ai vostri coetanei di tutto il mondo! In bocca al lupo!

What do you remember from Units 5 and 6?

1. Match each gesture to its meaning.

a. Esatto!
b. Ma che vuoi?
c. Buono.
d. Non me ne importa proprio niente!

2. Complete the sentences with the correct form of the expressions provided.

1. *leggere meno che in passato*

a. Secondo le statistiche, in Italia oggi
....

b. Sembra che in Italia oggi
....

2. *diventare un film di successo*

a. Voglio leggere questo libro prima che
....

b. Paolo ha letto questo libro solo dopo che
....

3. *preferire giocare al computer*

a. Dino legge un po' tutti i giorni anche se
....

b. Dino legge un po' tutti i giorni benché
....

3. Match each comic book hero to his description. The descriptions will need to be completed first.

a. Diabolik

b. Tex

c. Corto Maltese

1. Dal 1948 è un popolarissimo eroe amico degli indiani d'America e di tutti i deboli; rappresenta la versione italiana del genere ....

2. È un .... degli inizi del XX secolo che incontra nei suoi viaggi molti personaggi famosi del suo tempo.

3. È un ladro vestito di nero il cui unico scopo è .... gioielli e denaro da musei, banche e ricche famiglie.

Trulli, Alberobello (Puglia)

4. Put the sentences provided under the correct heading in the table.

ANTERIORITÀ	CONTEMPORANEITÀ	POSTERIORITÀ
SO CHE		
1.		
SAPEVO CHE		
2.		

1. a) ieri mi hai telefonato. / b) Carla andrà in Sicilia la prossima estate. / c) Luca sta studiando.
2. a) saresti tornata presto da Milano. / b) avevi perso il telefonino. / c) eri in viaggio.

Check your answers on page 183. Are you satisfied?

An Italian course for teenagers

T. Marin

A. Albano

PROGETTO ITALIANO
Junior
for English speakers

3

Workbook
Pre-intermediate (B1)

EdiLingua

1 For each category, write down the title of two films you have seen recently or of films that you particularly enjoyed.

COMMEDIA

POLIZIESCO

DI FANTASCIENZA

THRILLER

D'AVVENTURA

D'AMORE

2 Read the dialogue on page 8 again and match a line from the left to one on the right, as in the example in red.

1. – Io l'ho visto con mia sorella.

2. – Pazienza, ne scegliamo un altro!

3. – Ora che ci penso, non mi ricordo quasi niente!

4. – Guarda, il film è appena iniziato!

5. – Potremmo invece vedere "Meglio da solo"...

6. – Ma cos'è? Un altro film di avventura?

7. – "Amori difficili" non interessa a nessuno?

a. – Perché no?

b. – Dai, lasciamo perdere.

c. – Quindi non possiamo vederlo.

d. – Sì, ma dobbiamo sbrigarci.

e. – Veramente è fantascienza.

f. – Mannaggia!

g. – Io lo vedrei volentieri, ma...

3 *Con chi andate al cinema?* **Choose the correct form of the verb, as in the example in blue, to find out!**

voi ascolterebbe	io salirei	tu prenderebbe	noi partecipereste
tu proporresti	lui guarderesti	noi sceglierei	loro lasceremmo
loro cambierebbero	lui perderei	voi capirebbe	tu donerei
noi portereste	noi capiremmo	io finiresti	loro sceglieresti
lei deciderei	io capiresti	lei giocherebbe	loro giochereste
tu leggereste	lui leggeresti	noi deciderei	lui sceglierebbe
loro parleremmo	noi preferiresti	voi sentireste	tu usciremmo

Sabato sera, andremo al cinema con ....

4 **Put the verbs in brackets in the conditional tense and decide whether or not you agree with the statements.**

Nella mia scuola ideale...   sì   no

1. gli studenti (*indossare*) .... la divisa scolastica.

2. le lezioni (*iniziare*) .... alle dieci del mattino.

3. la scuola (*offrire*) .... corsi di canto e ballo.

4. gli studenti (*studiare*) .... almeno due lingue straniere.

5. i professori (*portare*) .... i ragazzi a fare molte gite.

6. i voti (*contare*) .... meno.

7. gli studenti (*utilizzare*) .... i cellulari in classe.

8. i professori (*insegnare*) .... soltanto in classi virtuali.

5 *Giochiamo a filetto!* X or O? With a partner use the conditional tense to complete the sentences, as in the example in red.

Tu .... diventare famoso? **volere**	Alessia .... fare sport. **dovere**	Loro .... vedere un film d'avventura. **preferire**
Voi .... con me a fare shopping? **venire**	Noi .... al concorso della scuola. **partecipare**	Dino, mi aiuteresti con questo progetto? **aiutare**
Io .... con la prof di matematica dell'esame. **parlare**	Giulia ha detto che lei .... una mano al concorso. **dare**	Noi quest'anno .... volentieri in vacanza in Sardegna. **andare**

6 Interview your favourite actor or actress. Put the verbs in brackets in the conditional tense.

(Tu) Giornalista: Benvenuto/a nel nostro programma! Lei, cosa farebbe per aiutare i Paesi più poveri?

Attore/Attrice: Io ....(1. *fare*) molta beneficenza e ....(2. *donare*) parte degli incassi dei miei film.

(Tu) Giornalista: Gli attori hanno molta influenza sul pubblico. Cosa dovrebbero fare, secondo Lei, gli attori per sensibilizzare soprattutto i più giovani sui problemi dei Paesi poveri?

Attore/Attrice: ....(3. *Potere*) aiutare organizzazioni mondiali come l'UNICEF. ....(4. *Dovere*) diventare *ambassadors*, come Orlando Bloom o Angelina Jolie.

(Tu) Giornalista: Cosa vorrebbe fare nel futuro?

Attore/Attrice: Io ....(5. *volere*) viaggiare per il mondo. ....(6. *Dare*) un contributo alla causa contro la mortalità infantile, un problema molto sentito nei Paesi poveri.

(Tu) Giornalista: Grazie, è stato/a molto gentile!

7 Put each sentence under the correct heading in the table, as in the example.

1. Non ho soldi per uscire! Mi piacerebbe trovare un lavoretto.

2. Preferirei studiare a casa mia, non da Paolo.

3. Sei sempre stanco a scuola. Al posto tuo, andrei a letto prima la sera!

4. L'allenatore è molto giovane. Non dovrebbe avere più di 25 anni.

5. Hai litigato con i tuoi amici? Potresti parlare con loro per risolvere il problema.

6. La mia pagina Facebook non si apre! Riavvieresti il computer, per favore?

7. Secondo la nostra prof di inglese, noi dovremmo usare Internet per fare pratica.

8. Se adorate la fantascienza, dovreste vedere "Tron". È proprio un bel film!

Esprimo un desiderio	Chiedo/Do un consiglio	Chiedo qualcosa in modo gentile	Esprimo un'opinione personale	Riporto un'opinione altrui
	3			

8 What would you do in these situations? Give at least two answers using the conditional tense, as in the example in red.

1 Il tuo migliore amico parla male di te.
a. Lo chiamerei e poi ....
b. ....

2 A un ragazzo / una ragazza che ti piace, come chiederesti di uscire con te?
a. ....
b. ....

3 Come chiederesti ai tuoi genitori di poter uscire sabato sera?
a. ....
b. ....

4 Come diresti al tuo amico di essere più generoso?
a. ....
b. ....

5 Come chiederesti al tuo prof il permesso per andare in bagno?
a. ....
b. ....

6 Come diresti ai tuoi amici che preferisci stare a casa invece che uscire?
a. ....
b. ....

9 Read the dialogue on page 13 again and summarise what is happening: use the following table.

Chi è andato al cinema?	Cosa hanno visto?	Dove sono?	Chi vedono all'uscita?

10 Underline the verbs in the conditional perfect tense, and then make sentences as in the example.

1. Avrebbe telefonato
2. Sarebbe andato meglio all'esame
3. Sarei venuto al cinema con voi
4. Avremmo scelto un film d'azione
5. Avreste dato una mano a Giulia
6. Saremmo andati allo stadio

a. ma era stanco.
b. ma non avevo soldi.
c. ma dovevate studiare.
d. ma non aveva il cellulare.
e. ma non avevamo il biglietto.
f. ma c'era il nuovo film con Penélope Cruz.

11 *Problemi di cuore!* Giulia is writing about what happened last night at the cinema in her blog. Put the verbs in brackets in the conditional perfect tense.

Cerca	▶

Home   Profilo personale   Amici   Foto e messaggi

Giulia: DIARIO (13 visualizzazioni)

(Profilo) (Amici) (Foto) (Album dei ritagli) (Diario) (Gruppi)

Ieri sera sono andata al cinema con Alessia. Lei mi aveva detto che il film ....
.... (1. *cominciare*) alle 20, ma siamo state lì fino alle 20.15 e niente! C'erano dei problemi tecnici e quindi siamo uscite dal cinema e siamo andate al pub a mangiare un panino. Io speravo tanto che
.... (2. *venire*) anche Stefano, ma non poteva. Immaginavo che almeno lui mi .... (3. *chiamare*) dopo il cinema per chiacchierare un po'... Ero sicura che lo .... (4. *fare*) ma mi sbagliavo! Forse non gli sono tanto simpatica... Alessia mi ha detto che lui .... (5. *passare*) il fine settimana dai nonni e forse non è potuto uscire. Chissà...

Aiutooo! Mi sto stressando troppo per questo ragazzo?

Now rewrite the blog, changing the events as follows: the girls saw the film and Stefano spent the evening with them.

Ieri sera sono andata al cinema con Alessia ....
....
....
....

12 Listen (twice if you need to) to what Paolo should have done today and tick the statements that are correct.

Paolo ha detto che...	sì	no
1. sarebbe dovuto andare da Alessia.		
2. sarebbe dovuto uscire con Dino.		
3. avrebbe dovuto studiare.		
4. avrebbe dovuto allenarsi.		
5. sarebbe potuto andare a lezione di chitarra.		
6. avrebbe voluto aiutare il padre.		

Invece, che cosa è riuscito a fare? ....

13 Complete the diagram as in the examples. Add as many words to do with cinema and film as you can. Feel free to look up words you don't know in a dictionary!

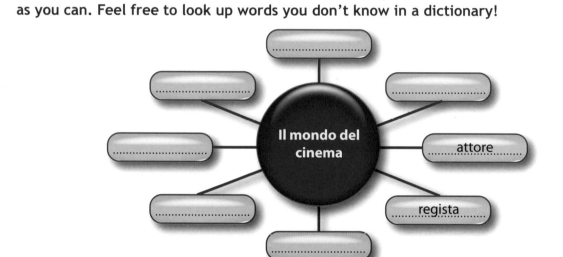

Now, choose three of the words and make a sentence with each.

....

....

....

14 a) Listen to the interviews and tick the actors mentioned, as in the example.

1. Sabrina Ferilli   2. Brad Pitt   3. Johnny Depp   4. Orlando Bloom   5. Russell Crowe

6. Christian De Sica

7. Alessandro Gassman

8. Raoul Bova

9. Monica Bellucci

10. Angelina Jolie

b) Listen to the interviews again and complete the table.

Intervistati	horror	romantico	d'avventura	thriller	umoristico
Studente 1					
Studente 2					
Studente 3					

Test finale

A   Choose the correct answer in each case.

1. Il film è appena iniziato!
   a. Pazienza, ne scegliamo un altro!   b. Benissimo!

2. Ma cos'è? Un altro film di avventura?
   a. L'ho visto con mia sorella.   b. Veramente, è fantascienza.

3. Io vorrei vedere un thriller.
   a. No grazie. Troppo violento.   b. Al cinema c'è molta gente.

4. Potremmo vedere il film con Benigni.
   a. Certo, perché no?   b. Quindi non possiamo vederlo.

5. Abbiamo scelto bene il film!
   a. No, non ho capito.   b. Non immaginavo che sarebbe stato così bello.

6. Mi sono addormentato e ho perso metà del film!
   a. Sì, saresti dovuto andare a letto presto.   b. Sei entrato nella sala sbagliata?

B Complete the sentences with the correct form of the conditional or the conditional perfect tense.

1. Io (1)............................. un film in una scuola e (2)............................. la vita degli studenti italiani.

    (1)   a. girerei   (2)   a. filmerebbero
           b. girerebbe   b. filmerei
           c. gireresti   c. filmereste

2. I ragazzi (1)............................. in maniera spontanea, come in un *reality show* e (2)............................. se stessi.

    (1)   a. reciteresti   (2)   a. interpreterebbero
           b. reciterebbe   b. interpreteremmo
           c. reciterebbero   c. interpretereste

3. Francesco, (1)............................. stasera a casa mia? (2)............................. anche un gioco di società.

    (1)   a. verrà   (2)   a. Porterò
           b. verresti   b. Avrei portato
           c. sarebbe venuto   c. Porteresti

4. Paolo ha detto che lui (1)............................. da scuola a piedi e dopo (2)............................. all'allenamento in autobus.

    (1)   a. sarebbe tornato   (2)   a. sarei andato
           b. sarei tornato   b. sarebbe andato
           c. saremmo tornati   c. sarebbero andati

5. Ero sicuro che Alessia (1)............................. il progetto e che l'(2)............................. in tempo.

    (1)   a. avrebbe fatto   (2)   a. avrei finito
           b. avremmo fatto   b. avreste finito
           c. avreste fatto   c. avrebbe finito

6. Giulia e Alessia (1)............................. vedere un film di fantascienza e dopo (2)............................. andare a fare shopping, ma pioveva e sono rimaste a casa.

    (1)   a. avrebbe voluto   (2)   a. sarebbero volute
           b. avresti voluto   b. sarei voluto
           c. avrebbero voluto   c. sareste volute

C Look at the pictures and complete the crossword.

1. Sala ...

2. Film di ...

3. Il ...

4. La ... del film

5. L'...

6. Penélope Cruz è un'...

SALA **5** **FILA E**
POSTO 10

IMMATURI

ORA 20:30

7. Il ...

8. Federico Fellini è un ...

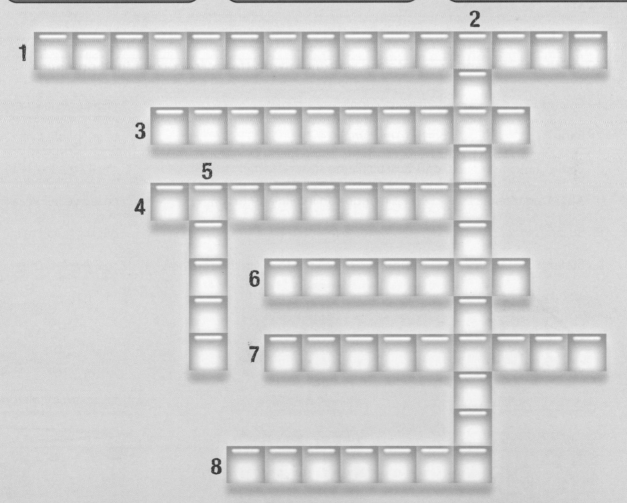

1

2

3

5

4

6

7

8

Right answers: ___/26

1 Read the dialogue on page 22 again carefully and find expressions you can use to answer the following questions.

1. Che canzone stai ascoltando?

....

2. Come me la potresti mandare?

....

3. Tu sei Paolo, vero?

....

4. Come fai a sapere come mi chiamo?

....

5. Bello questo gruppo, eh?

....

6. Ho tutte le loro canzoni, te le mando?

....

2 Study the photos and complete the sentences with the correct combined pronoun.

1. Quando .... dai? (*a Mario*)   glielo / gliela / me la

2. Sara, ... porti? (*a mamma*)   te le / gliele / ve li

3. Paola, ... dai? Così ti chiamo stasera. (*a me*)   me li / me lo / te lo

4. Allora ragazze, ... mando con il cellulare? (*a voi*)   ce le / ve le / ve la

5. Su, adesso .... racconto! (*a te*)   gliela / te lo / te la

6. Stefano, ... compri tu per il concerto di Ligabue? (*a noi*)   ce li / ve le / ce la

1. il regalo

2. le pantofole

3. il numero di telefono

4. le canzoni

5. la storia del concerto

6. i biglietti

3 Are you generous or selfish? Dependent or independent? Do the following personality test to find out!

1. *Sei al cinema con un amico. Chi compra i biglietti?*
   - a. ☐ Li compro io.
   - b. ☐ Li compra il mio amico.
   - c. ☐ Ognuno compra il suo biglietto.

2. *Tua madre torna a casa stanca e i piatti sono sporchi. Cosa fai?*
   - a. ☐ Li lavo io senza che me lo chieda.
   - b. ☐ Li lavo io se me lo chiede.
   - c. ☐ Non ho tempo di aiutarla, devo studiare!

3. *Devi risolvere un problema di matematica molto difficile. Chiedi aiuto?*
   - a. ☐ No, magari me lo spiega mio padre se non riesco da sola.
   - b. ☐ Non mi piace studiare da sola. Lo posso risolvere con la mia amica.
   - c. ☐ Ma certo! Me lo fa copiare la mia migliore amica.

4. *Hai visto un paio di scarpe nuove, bellissime, ma non hai i soldi per comprarle. Chiedi un prestito?*
   - a. ☐ No, me le comprerò quando avrò soldi.
   - b. ☐ Potrei chiedere dei soldi ai miei. Glieli restituirò appena posso.
   - c. ☐ Torno a casa e parlo subito ai miei genitori. Me le compreranno sicuramente!

5. *Hai un problema con il tuo ragazzo / la tua ragazza. Ne parli con qualcuno?*
   - a. ☐ Sì, meglio condividere i problemi. Ne parlo sempre con le mie amiche / i miei amici!
   - b. ☐ Forse ne parlo con mia madre.
   - c. ☐ Non amo condividere i miei problemi. In genere, me li tengo per me.

6. *Tuo fratello / Tua sorella ti chiede in prestito dei pantaloni da indossare a una festa. Cosa rispondi?*
   - a. ☐ Ma certo, te li presto volentieri.
   - b. ☐ Uffa, prendili ma è l'ultima volta che te li presto!
   - c. ☐ Scordatelo! Non te li presto mica!

Risposte: a. **3 punti**   b. **2 punti**   c. **1 punto**

Punteggio

Da 6 a 8: Troppo individualista e forse un po' egoista? Fare cose per e con altri potrebbe essere bello e divertente!

Da 9 a 12: Sai bilanciare il tuo mondo con quello degli altri. Potresti, però, fare di più!

Da 13 a 18: Sei l'esempio massimo di generosità e sei aperto/a di cuore. Complimenti!

4 Complete the crossword with the correct combined pronouns.

Across
3. Do il progetto alla prof. .... do.
4. Date a noi i CD? .... date?
5. Prepariamo la festa per voi? .... prepariamo?

Down
1. Do a te il libro? .... do?
2. Porti a me le foto? .... porti?
3. Scrivo a loro una e-mail? .... scrivo?

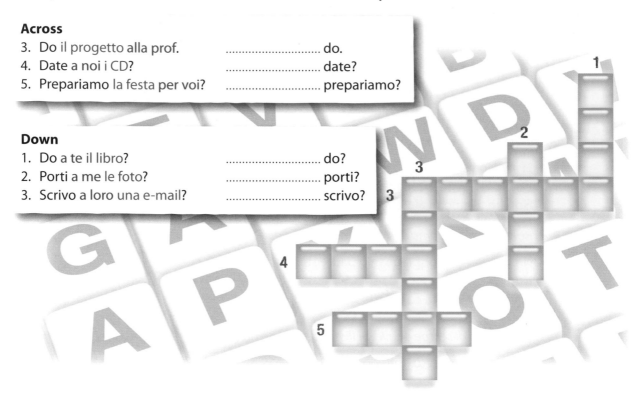

5 Read the message that Stefano has posted online and write down what the combined pronouns highlighted in blue refer to.

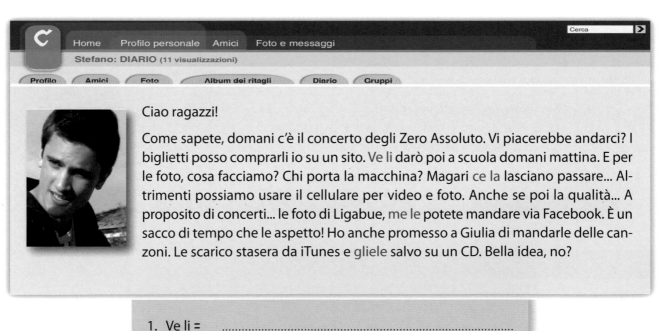

Cerca ▶

Home   Profilo personale   Amici   Foto e messaggi

Stefano: DIARIO (11 visualizzazioni)

Profilo   Amici   Foto   Album dei ritagli   Diario   Gruppi

Ciao ragazzi!

Come sapete, domani c'è il concerto degli Zero Assoluto. Vi piacerebbe andarci? I biglietti posso comprarli io su un sito. Ve li darò poi a scuola domani mattina. E per le foto, cosa facciamo? Chi porta la macchina? Magari ce la lasciano passare... Altrimenti possiamo usare il cellulare per video e foto. Anche se poi la qualità... A proposito di concerti... le foto di Ligabue, me le potete mandare via Facebook. È un sacco di tempo che le aspetto! Ho anche promesso a Giulia di mandarle delle canzoni. Le scarico stasera da iTunes e gliele salvo su un CD. Bella idea, no?

1. Ve li = ...

2. ce la = ...

3. me le = ...

4. gliele = ...

6 Complete the word search to find six of the expressions we came across on page 25 for apologising or for responding to an apology. Then, write sentences using the expressions you find, as in the example.

```
C U N U N C S A I C H E Y V S
H O M O J T L R F J T D C R C
I O D O N I B Q O N Y F N I U
E H P R E G O Z E B H I H E S
D U E T A H E S L P N G G A A
O A M Q I T P D Y P X U Z T M
S C U S A I L R I T A R D O I
C V B W F T I R K L J A X F F
U O N O N F A N I E N T E S I
S X A I A T C S J I P I E C C
A N O N I M P O R T A H U K B
```

1. – Luca, sei in ritardo! – Chiedo scusa.

2. ....

3. ....

4. ....

5. ....

6. ....

7 Complete the table for each profession, as in the example in red.

Per diventare...	Devo studiare...	Devo essere...	La mia professione è...
medico	Medicina e Chirurgia	studioso, preciso, responsabile, ...	difficile, ben pagata, ...
avvocato			
architetto			
psicologo			
insegnante di lingue			

8 Do you remember the dialogue on page 27? Put the lines given below in the correct order and then think of a final line (or lines) of your own.

....

....

....

9 Choose the correct answer in each case.

1. Chi l'ha detto a Giulia?
   a) Me l'ha detto Paolo.
   b) Gliel'ha detto Paolo.

2. Chi ti ha dato questo regalo?
   a) Me l'ha dato Alessia.
   b) Te l'ha dato Alessia.

3. Chi vi ha scritto i messaggi su Facebook?
   a) Ve li ha scritti Dino.
   b) Ce li ha scritti Dino.

4. Chi ha presentato Francesca a Giorgio?
   a) Gliel'ha presentata Chiara.
   b) Ce l'ha presentata Chiara.

5. Chi ti ha prestato gli appunti di storia?
   a) Te li ha prestati Luca.
   b) Me li ha prestati Luca.

6. Quante e-mail vi ha mandato Stefano?
   a) Ce ne ha mandate tre.
   b) Gliene ha mandate tre.

10 Find the sentences on the right that could replace those on the left, as in the example.

1. Giulia gli ha regalato delle caramelle.
2. Giulia ci ha regalato due CD.
3. Giulia vi ha regalato i fiori.
4. Giulia le ha regalato un orologio.
5. Giulia le ha regalato una penna.
6. Giulia ti ha regalato i biglietti.
7. Giulia gli ha regalato due libri.
8. Giulia mi ha regalato un diario.

a. Giulia gliel'ha regalata.
b. Giulia gliel'ha regalato.
c. Giulia glieli ha regalati.
d. Giulia gliele ha regalate.
e. Giulia ve li ha regalati.
f. Giulia ce li ha regalati.
g. Giulia me l'ha regalato.
h. Giulia te li ha regalati.

11 Reply to the messages from your friends on Facebook using the expressions provided.

facebook — RICERCA

Paolo
Il mio profilo
Notifiche

Dino Petrini:
Non posso venire stasera al cinema!

Paolo Errico:
........................(1)? È successo qualcosa?

a. Perché mai
b. Come mai
c. Perché no

facebook — RICERCA

Paolo
Il mio profilo
Notifiche

Stefano Semplici:
Domani usciamo con Giulia e Alessia?

Paolo Errico:
........................(3)? Potremmo andare a mangiare una pizza.

facebook — RICERCA

Paolo
Il mio profilo
Notifiche

Alessia De Piero:
A Chiara non è simpatico Stefano?

Paolo Errico:
........................(2) non dovrebbe esserle simpatico?

12 A journalist is interviewing Guy Goma a week after his adventure on a live BBC broadcast. Listen to the interview and answer the questions.

Giornalista: Cosa .... la settimana scorsa? .... era negli studi della BBC?

Guy Goma: Ero alla BBC per un colloquio di lavoro... come elettricista.

Giornalista: E invece? .... detto di andare al trucco?

Guy Goma: Un signore, me l'ha detto un signore che lavora lì. E poi... mi ha portato davanti alle telecamere, dalla conduttrice!

Giornalista: Perché, ...?

Guy Goma: Perché mi chiamo Guy, proprio come l'esperto di economia che dovevano intervistare quel giorno.

Giornalista: E Lei .... economia?

Guy Goma: Chi, io? Gliel'ho spiegato... io cercavo un posto da elettricista!

Giornalista: E chi .... dell'errore? Chi ha detto qualcosa?

Guy Goma: Il "vero" Guy, il signor Sonders. Gliel'ha detto lui a quelli della BBC!

13 Your friends can't decide what career to choose. Taking the information they give you into account, which of the following professions would you recommend?

- la cameriera
- il segretario
- il cuoco
- il veterinario
- la giornalista
- l'elettricista
- l'operaia
- il commesso
- la maestra
- il grafico

1. *Paolo*: Amo gli animali e la natura. Mi piace studiare materie scientifiche.
   – Potresti fare ....!

2. *Anna*: Adoro lavorare con la gente e avere un orario flessibile. Non ho voglia di fare l'università.
   – Dovresti provare a fare ....!

3. *Chiara*: Mi piacciono i bambini, ho molta pazienza e mi piace insegnare.
   – Perché non provi a fare ....!

4. *Ilaria*: Mi piace scrivere, parlare con la gente, capire quello che succede nel mondo.
   – Forse ti piacerebbe fare ....!

5. *Francesco*: Sono organizzato, bravo al computer e mi piace il lavoro d'ufficio.
   – .... sarebbe un buon lavoro per te!

6. *Giovanni*: Adoro mangiare, sono creativo e mi piacciono le diverse culture del mondo.
   – Saresti sicuramente portato a fare ....!

14 a) Listen to the interviews and complete the table, as in the example in red.

Intervistati	Che lavoro vorresti fare in futuro?	Perché?
Studente 1		
Studente 2	il calciatore	
Studente 3		

b) Listen to the interviews again and, for each student, choose the correct answer to the question: "Faresti tutta la vita un lavoro che non ti piace ma che ti fa guadagnare molto? Perché?".

Studente 1
a) Sì, perché i soldi fanno sempre comodo.
b) No, perché i soldi non sono tutto.

Studente 2
a) Sì, meglio un lavoro ben retribuito perché è sempre difficile trovare un lavoro che piace.
b) No, perché nella vita non contano soltanto i soldi, conta soprattutto se il lavoro piace.

Studente 3
a) Sì, perché guadagnare molto porta a metterci passione nel lavoro e avere anche soddi-
   sfazioni.
b) No, perché preferisco un lavoro che mi piace anche se pagato poco.

Test finale

A Choose the correct answer in each case.

1. Me la potresti mandare?
   a. Sono nuovo.
   b. Certo, magari tramite bluetooth.

2. Tu sei Alessia, vero?
   a. Ecco fatto.
   b. Come fai a sapere il mio nome?

3. Gli "Zero Assoluto" ti piacciono o no?
   a. Bella foto.
   b. Sì, dai, non sono male.

4. Guarda, dal suo ultimo concerto!
   a. Non mi dire che eri lì!
   b. Gli ultimi li conosco meno.

5. Di cosa avete parlato?
   a. Me l'ha detto Anna.
   b. All'inizio mi ha chiesto una canzone.

6. Ti ha parlato dei suoi progetti futuri?
   a. Sì, vuole fare il pittore.
   b. Sì, è solo un amico!

B Choose the option that contains the correct combined pronoun.

1. Dai la matita a Laura?
   a. Gliela dai?
   b. Glielo dai?
   c. Ce le dai?

2. Mandate la canzone a me?
   a. Me li mandate?
   b. Me le mandate?
   c. Me la mandate?

3. Prepara il progetto per te?
   a. Te le prepara?
   b. Ve lo prepara?
   c. Te lo prepara?

4. Compri i biglietti per noi?
   a. Ce le compra? b. Ce lo compri? c. Ce li compri?

5. Ho inviato un messaggio a Laura.
   a. Gliel'ho inviato. b. Gliel'ha inviato. c. Me l'ha inviato.

6. Ha dato il cellulare a Stefano.
   a. Gliel' ha dato. b. Ve l'ha dato. c. Me l'ha dato.

7. Abbiamo fatto le foto a loro.
   a. Gliele abbiamo fatte. b. Gliel'abbiamo fatto. c. Glieli abbiamo fatti.

8. Avete dedicato a me la canzone?
   a. Me l'hai dedicata? b. Te l'hanno dedicata? c. Me l'avete dedicata?

C Complete the crossword with the professions depicted.

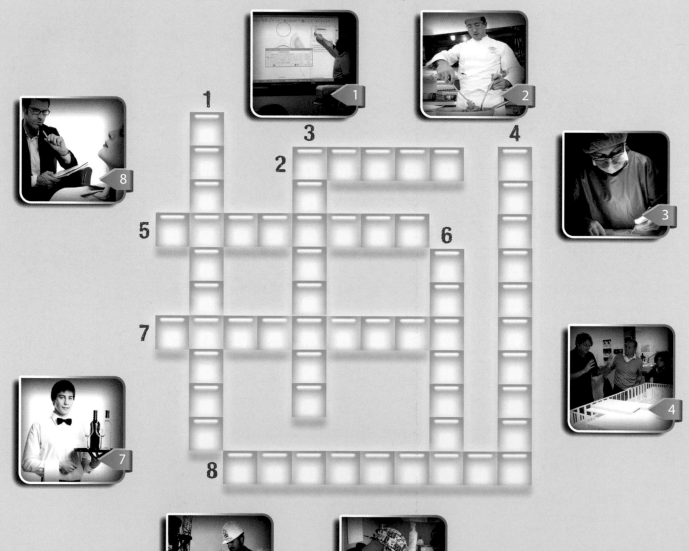

Right answers: ___/22

110

1 Combine the four columns (*Chi? - Che cosa? - Dove? - Quando?*) to make five sentences. Be careful, though: various combinations are possible! When you have finished, tick the activities you do too.

Lo faccio anch'io!

Sì ☐	No ☐
Sì ☐	No ☐
Sì ☐	No ☐
Sì ☐	No ☐
Sì ☐	No ☐

Chi?	Che cosa?	Dove?	Quando?
1. Tu e Alessia	passava tante ore	su Facebook	domani
2. I miei amici	chattiamo	al computer	ieri pomeriggio
3. Dino	cercano informazioni	su YouTube	l'anno scorso
4. Io e Stefano	carico un video	su Myspace	tutti i giorni
5. Io	avete ritrovato amici	su Wikipedia	la sera

2 Your parents have left a post-it note on your computer screen. Reply to the message, listing all the advantages of computers. Your aim is to make them change their minds and convince them to allow you to use your computer for longer!

> Basta con il computer! Stai esagerando! Da oggi puoi stare al computer solo un'ora al giorno, non un minuto di più!

> Cari mamma e papà, il mondo oggi è digitale!
> ....
> ....
> ....
> ....
> ....

3 Read the text. It contains six relative pronouns: find them and write them in the column on the left. Write the noun or expression they refer to in the column on the right.

Facebook è il social network che ha conquistato il mondo intero. Ragazzi che comunicano tra di loro, a scuola e all'università, amici che si ritrovano dopo tanti anni, familiari che restano in contatto anche se in posti diversi del mondo. Ma è solo l'amicizia e il bisogno di comunicare che hanno reso famoso Facebook? Chi lo usa solo per chattare forse risponderebbe di sì, in realtà sul social network è possibile fare anche pubblicità commerciale e propaganda politica.

Pronome relativo	Nome o espressione a cui si riferisce...
1.	
2.	
3.	
4.	
5.	
6.	

4 Use *il/la quale* or *i/le quali* to replace the relative pronoun *che* wherever possible.

1. Sono veramente simpatiche le cugine di Michele che sono venute ieri da Pisa, non trovi?
   ....

2. Hai per caso portato il CD che hai comprato ieri?
   ....

3. Chiara è una ragazza di Bari che si è trasferita qui due anni fa.
   ....

4. Dino ha scritto un post sul nostro blog che non ha ancora letto nessuno?
   ....

5. Chatto ogni sera con un ragazzo che vive a Milano.
   ....

6. I ragazzi che ci hanno mandato una richiesta d'amicizia su FB sono americani.
   ....

5 Complete the following well-known Italian proverbs by matching the elements provided, as in the example in blue.

1. .... trova un tesoro.

2. .... va sano e va lontano.

3. .... fa per tre.

4. .... non piglia pesci.

5. .... trova.

6. **A** Chi tardi arriva **male alloggia.**

A Chi tardi arriva

B Chi dorme

C Chi trova un amico

D Chi va piano

E Chi cerca

F Chi fa da sé

6 Connect the two parts of each sentence with the correct relative pronoun.

1. La ragazza bruna		a. avevo invitato.
2. Su FB non accetto mai l'amicizia di	**quelli che**	b. ti ha mandato Franco.
3. Alla mia festa non sono venuti tutti	**chi**	c. ha detto Giulia.
4. È molto divertente l'sms	**che**	d. non conosco.
5. Il progetto	**quello che**	e. dobbiamo preparare è difficile.
6. Non credo a		f. vedi è la ragazza di Paolo.

7 Delete the expressions that do not belong in the categories below. Then choose from the remaining expressions to complete the mini dialogues.

Esprimere sorpresa	*Davvero?! - Per niente! - Caspita! - Ma va! - No, grazie! - Scherzi?! - Prego!*
Esprimere incredulità	*Non me lo dire! - Auguri! - Salute! - Impossibile! - Non è vero! - Non ci credo!*

1. – Ma ci credi che la prof ha preso il mio cellulare? – ....
2. – Lo sai che domani non c'è scuola? – ....
3. – Ho conosciuto finalmente Riccardo! – ....
4. – Mi ha contattato una persona che non conosco su Facebook! – ....
5. – Avete sentito che ci sarà Internet nelle classi? – ....
6. – Domani c'è la gita a Roma! – ....

8 Complete the text.

I giovani e le nuove tecnologie

I ragazzi di oggi sono nati e cresciuti con le tecnologie a portata di mano. Per loro è nato il neologismo "nativi digitali", cioè ragazzi nati dopo la diffusione di Internet. Ragazzi che hanno a ....(1) una grande quantità di strumenti digitali sia per apprendere sia per comunicare. Leggiamo cosa ne pensa uno di loro: "Di anno in anno aumentano le possibilità di usare le nuove tecnologie. Oggi ognuno di noi ha almeno un oggetto tecnologico o di ultima ....(2) nel proprio zaino o nella propria tasca: un iPhone, un iPod, un tablet pc o semplicemente un telefono cellulare. Accompagnano la nostra giornata da quando ci svegliamo. A scuola facciamo lezione in laboratori linguistici o informatici con i computer e, a ....(3), anche con le lavagne interattive. Suonata la campanella, se non torniamo a casa dove accendiamo la TV o il pc, comunque possiamo ....(4) il cellulare per tenerci in contatto con gli amici, tramite messaggi, chiamate e social network. Il computer, nei pomeriggi di studio e ....(5) solo, è il migliore amico di tutti i ragazzi. Spesso accade che, dopo una ....(6) difficile, per rilassarsi, invece di leggere un buon libro o fare una passeggiata in compagnia, chattiamo, guardiamo video o film in streaming o ....(7) in Internet. Questo non è molto salutare perché il rischio è di condurre una vita sedentaria e senza rapporti sociali. ....(8) me, la tecnologia è uno strumento potentissimo che dobbiamo però usare con moderazione".

adattato da *la Repubblica@SCUOLA*

9 Listen to the following poem twice and fill in the missing words.

Io e la tecnologia

T'amo, o mio mp3
Lo sai .... vivo solo per te!
Ogni giorno accendo il ....
.... sempre sul comodino.

I mille .... nel mio ....,
Con tutte le .... ho sempre da fare
Facebook, ..., con tutti i miei amici:
..........................., ridiamo, son tutti magnifici!

10 Here are the titles to two stories. Find the correct lines for each and arrange them in the right order next to the appropriate title, using the number they have been allocated, as in the examples.

Una brutta avventura   12 - ...... - ...... - ...... - ...... - ...... - ......

A lezione di *Internet Safety*   8 - ...... - ...... - ...... - ...... - ...... - ......

1. È stato molto interessante!

2. abbiamo fatto un corso

3. ci ha mostrato degli esempi di ragazzi

4. mi ha mandato delle foto da aprire.

5. che hanno avuto brutte esperienze.

6. ho ricordato cosa ci hanno detto in classe.

7. Così ho cancellato tutto e bloccato quel contatto!

8. L'altro giorno a scuola

9. per chattare con i miei amici quando

10. sui pericoli di Internet.

11. una persona che non conoscevo

12. Ieri sera ero su Myspace

13. Stavo per farlo ma...

14. La prof di lettere

SAFER INTERNET DAY

11 Rectangle, heart, hexagon. Choose the words from one rectangle, one heart and one hexagon and combine them to produce an answer to each question.

c'era tanta gente,

per cui

sono le amiche

anche Stefano

è una pittrice

ho fatto tardi

è la ragione

tra cui

quadri valgono milioni

i cui

hai pubblicato un post

di cui

ti parlavo

su cui

Il blog

1. – Conosci quelle ragazze?   – Sì, ...

2. – Hai dovuto studiare?   – Sì, ...

3. – Hai visto quella signora?   – Sì, ...

4. – Che stai leggendo on line?   – ....

5. – È stato bello il concerto?   – Sì, ...

12 Read the e-mail Paolo has received from an American friend. Replace the relative pronouns highlighted in blue with the correct form of *cui*.

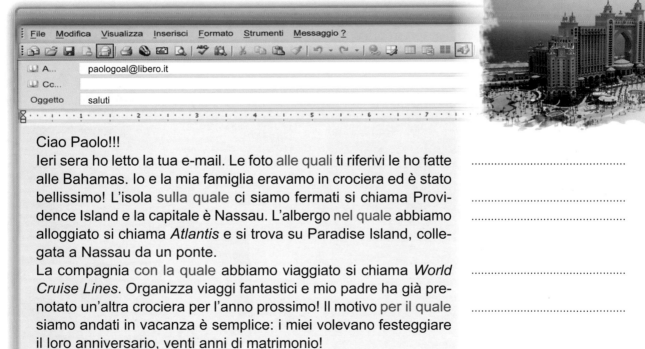

File   Modifica   Visualizza   Inserisci   Formato   Strumenti   Messaggio ?

A...   paologoal@libero.it
Cc...
Oggetto   saluti

Ciao Paolo!!!
Ieri sera ho letto la tua e-mail. Le foto alle quali ti riferivi le ho fatte   ....
alle Bahamas. Io e la mia famiglia eravamo in crociera ed è stato
bellissimo! L'isola sulla quale ci siamo fermati si chiama Provi-   ....
dence Island e la capitale è Nassau. L'albergo nel quale abbiamo   ....
alloggiato si chiama *Atlantis* e si trova su Paradise Island, colle-
gata a Nassau da un ponte.
La compagnia con la quale abbiamo viaggiato si chiama *World*   ....
Cruise Lines. Organizza viaggi fantastici e mio padre ha già pre-
notato un'altra crociera per l'anno prossimo! Il motivo per il quale   ....
siamo andati in vacanza è semplice: i miei volevano festeggiare
il loro anniversario, venti anni di matrimonio!
Hugs and kisses. XOXO
Liz

13 Look at the pictures and complete the sentences with *stare* + gerund or *stare per* + infinitive. Be careful, though, as some of the sentences are in the past tense!

1. Dino .... su Facebook con i suoi amici.

2. Chiara .... di casa.

3. Ieri pomeriggio, Alessia e Chiara .... in biblioteca.

4. Stefano e Giulia, sabato scorso, ... nel cinema quando hanno incontrato Paolo.

5. Giulia e Alessia .... un sms.

6. Io, Paolo e Dino .... on line.

14 On your own or with a partner:
a) Match a word from the left to an expression on the right.

1. accendere	a. un sms
2. girare	b. il volume
3. chattare	c. un video
4. inviare	d. una foto
5. alzare	e. il computer
6. navigare	f. su Facebook
7. scattare	g. in Internet

b) **Match each verb to one with opposite meaning.**

1. alzare	a. ricevere
2. caricare	b. spegnere
3. accendere	c. abbassare
4. inviare	d. scaricare

15 Listen to the interviews and decide whether the statements
that follow are true (V - *vere*) or false (F - *false*).

                                                           V   F

1. I ragazzi intervistati passano al computer almeno due ore al giorno.

2. Tutti gli studenti intervistati usano il computer per giocare.

3. Uno dei ragazzi intervistati usa il computer per ascoltare musica e navigare in Internet.

4. Per tutti e tre gli studenti intervistati, la tecnologia aiuta le relazioni umane.

5. Ad uno dei ragazzi intervistati piacerebbe avere un robot per i lavori domestici.

6. A tutti gli studenti intervistati piacerebbe avere un computer che li aiuta nello studio.

Test finale

A Look at each picture and write down what it is.

1. ....

2. ....

3. ....

4. ....

5. ....

B Complete the sentences with the relative pronouns provided.

a cui   *per cui*   *tra cui*   *di cui*   *con cui*

1. La ragazza .... ti stavo parlando è americana.

2. Il concerto .... siamo andati è stato fenomenale!

3. Sono arrivati molti invitati .... anche la madre di Giuseppe.

4. Il motivo .... non scrivo più a quel ragazzo è che non mi piace!

5. Il ragazzo .... sono uscita ieri si chiama Marcello.

C True (V) or false (F)?

	V	F

1. Google è un motore di ricerca.
2. Una rete sociale molto popolare è Myspace.
3. Wikipedia ha creato un nuovo tipo di cellulare.
4. Possiamo fare telefonate a distanza con YouTube.
5. La Apple ha rivoluzionato il mondo della musica.
6. Il primo computer risale al 1969.

D Put the words in the correct order to make sentences.

1. al / stasera / ? / Stefano / con / Vai / cinema

   ....

2. Facebook. / contattato / ha / Mi / uno / su / sconosciuto

   ....

3. non / mondo / miei / digitale / ! / il / I / capiscono

   ....

4. FB. / un / chattando / ragazzo / Stavo / con / su

   ....

5. sta / pizza / Un / arrivare. / la / pazienza, / po' / per / di

   ....

E Read the sentences and choose the proverb that is appropriate to the situation.

1. Brava, hai visto che sei riuscita a finire il progetto da sola?
   a. Chi fa da sé fa per tre. b. Chi cerca trova.

2. Oh no! Ho dimenticato che dovevo telefonare a Carla!
   a. Chi dorme non piglia pesci. b. Chi cerca trova.

3. Grazie dell'aiuto, Giulia!
   a. Chi trova un amico trova un tesoro. b. Chi fa da sé fa per tre.

4. Ma come, avete mangiato tutta la torta? Non mi avete aspettato...
   a. Chi va piano va sano e va lontano. b. Chi tardi arriva male alloggia.

Right answers: ___/25

1 Read the dialogue on page 50 and then put this conversation between Stefano and Giulia in the correct order.

1 *Stefano*: Bella New York! Parigi invece...

Stefano: Una cosa che mi piace delle città americane è che hanno piu energia, sembrano più tecnologiche di quelle europee.

Stefano: Macché!

Stefano: Certo, ma sono sempre molto più "vecchie" di New York! Bella la "grande mela", mi piacerebbe viverci!

Giulia: Guarda, stiamo parlando di due città molto diverse. Dai, diciamo che Parigi è bella e internazionale quanto New York... e senza dubbio più romantica!

Giulia: Mah... secondo me, New York è più cosmopolita di Parigi, ma è meno affascinante.

Giulia: E beh? Questo non basta. Anche le città europee si stanno modernizzando e globalizzando.

E voi, cosa ne pensate? Chi ha ragione? ....

2 Decide what type of comparison is being made in each sentence.

	(=)	(+)	(−)
1. Napoli è più caotica di Firenze.			
2. Lucca è meno moderna di Milano.			
3. Siena è tanto turistica quanto San Gimignano.			
4. Alessia è meno studiosa di voi.			
5. Dino è più goloso di te.			
6. Giulia è tanto curiosa quanto Alessia.			

3 Make comparisons, as suggested by the symbols in red, between the cities or the people, as in the example in blue.

1. Londra / fredda / Atene	(+)	Londra è più fredda di Atene.
2. Palermo / caotica / Lugano	(+)	....
3. Cuba / tropicale / Porto Rico	(=)	....
4. Firenze / moderna / Chicago	(−)	....
5. Madrid / bella / Roma	(=)	....

6. Lorenzo / bravo / me   (−)   ....

7. Stefania / bella / Giulia   (=)   ....

8. Paolo / gentile / Riccardo   (+)   ....

4   Complete the sentences with the absolute superlative of the adjectives and adverbs provided.

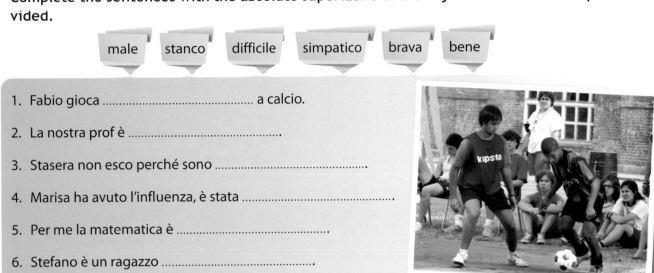

| male | stanco | difficile | simpatico | brava | bene |

1. Fabio gioca .... a calcio.

2. La nostra prof è ....

3. Stasera non esco perché sono ....

4. Marisa ha avuto l'influenza, è stata ....

5. Per me la matematica è ....

6. Stefano è un ragazzo ....

5   Complete the five comments, taken from the *Turisti per caso* blog, with the expressions provided. Then, add a comment of your own.

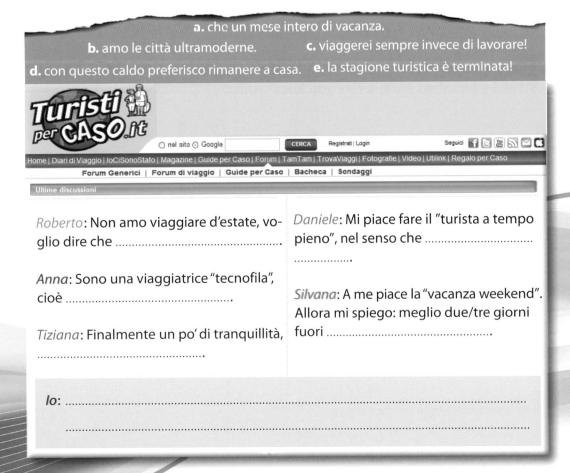

a. che un mese intero di vacanza.

b. amo le città ultramoderne.   **c.** viaggerei sempre invece di lavorare!

d. con questo caldo preferisco rimanere a casa.   **e.** la stagione turistica è terminata!

○ nel sito ○ Google [ ]   CERCA   Registrati | Login   Seguici

Home | Diari di Viaggio | IoCiSonoStato | Magazine | Guide per Caso | Forum | TamTam | TrovaViaggi | Fotografie | Video | Utilink | Regalo per Caso

Forum Generici | Forum di viaggio | Guide per Caso | Bacheca | Sondaggi

Ultime discussioni

Roberto: Non amo viaggiare d'estate, voglio dire che ....

Anna: Sono una viaggiatrice "tecnofila", cioè ....

Tiziana: Finalmente un po' di tranquillità, ...

Daniele: Mi piace fare il "turista a tempo pieno", nel senso che ....
....

Silvana: A me piace la "vacanza weekend". Allora mi spiego: meglio due/tre giorni fuori ....

Io: ....
....

6 *Che tempo fa?* Complete the word search to find the words and expressions given below, as in the example in red. Then, look at the map and complete the sentences.

BEL TEMPO   BRUTTO TEMPO   CALDO   C'È IL SOLE   C'È LA NEBBIA

C'È VENTO   È NUVOLOSO   È SERENO   FREDDO   NEVICA   PIOVE

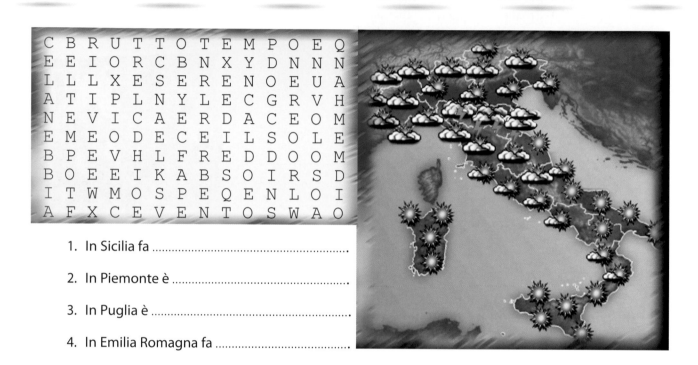

```
C B R U T T O T E M P O E Q
E E I O R C B N X Y D N N N
L L X E S E R E N O E U A H
A T I P L N Y L E C G R V M
N E V I C A E R D A C E O M
E M E O D E C E I L S O L E
B P E V H L F R E D D O O M
B O E E I K A B S O I R S D
I T W M O S P E Q E N L O I
A F X C E V E N T O S W A O
```

1. In Sicilia fa ....

2. In Piemonte è ....

3. In Puglia è ....

4. In Emilia Romagna fa ....

7 Read the postcard that Dino is sending his friend Roberto from Milan and then try to write a postcard yourselves from a city you know well.

Ciao Roberto!

Sono in gita a Milano con la scuola. Con il tempo siamo stati fortunati. È una giornata piena di sole. Oggi abbiamo visitato il Castello Sforzesco, poi siamo andati al Duomo. Tra un po' andiamo alla zona dei Navigli. Che bella città, moderna ma anche con tanta storia!

A Milano puoi girare, prendere il sole e fare shopping. È veramente la capitale della moda: ci sono tante cose bellissime. Mi piacerebbe viverci!

A presto!
Dino

Roberto Parisi

Viale de ....

50131 F

Ciao ....!

Sono a ....

....

....

....

....

....

A presto.

....

8 Study Lorenzo and Katy's Facebook profiles and then decide whether the statements that follow are true (V) or false (F).

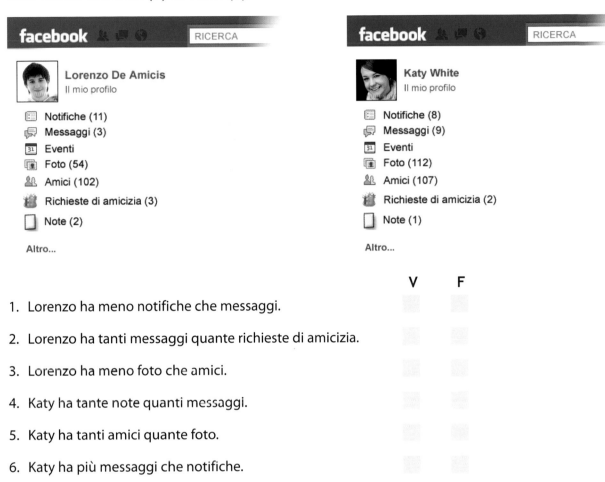

	facebook 👥💬🌐	RICERCA
	Lorenzo De Amicis Il mio profilo	

- 📋 Notifiche (11)
- 💬 Messaggi (3)
- 📅 Eventi
- 🖼 Foto (54)
- 👥 Amici (102)
- 🎫 Richieste di amicizia (3)
- 📄 Note (2)

Altro...

	facebook 👥💬🌐	RICERCA
	Katy White Il mio profilo	

- 📋 Notifiche (8)
- 💬 Messaggi (9)
- 📅 Eventi
- 🖼 Foto (112)
- 👥 Amici (107)
- 🎫 Richieste di amicizia (2)
- 📄 Note (1)

Altro...

	V	F
1. Lorenzo ha meno notifiche che messaggi.		
2. Lorenzo ha tanti messaggi quante richieste di amicizia.		
3. Lorenzo ha meno foto che amici.		
4. Katy ha tante note quanti messaggi.		
5. Katy ha tanti amici quante foto.		
6. Katy ha più messaggi che notifiche.		

9 Complete the following sentences with the words provided.

bello   Torino   comoda   francesi   leggere   mentire

1. Questa poltrona è più bella che ....

2. È più utile .... che guardare la TV.

3. Questo regalo è più costoso che ....

4. È meglio dire la verità che ....

5. C'è meno traffico a .... che a Napoli.

6. In estate nella mia città ci sono più turisti .... che inglesi.

10 Make sentences, using one of the expressions provided at the beginning of each one, that could be used to disagree with the statements below, as in the example in red.

Ma no!   Niente affatto.   Che confusione!   Ma quale...   Neanche per sogno!

1. La ricerca scientifica non è importante.

....

2. La tecnologia rende la vita più complicata.

Che confusione! È esattamente il contrario!

3. Viaggiare è uno spreco di soldi.

....

4. Per vivere bene bisogna essere molto ricchi.

....

5. Imparare una lingua straniera è facilissimo.

....

6. Per conoscere bene l'Italia basta visitare Roma.

....

11 Choose the statement that is true in each line to discover which Italian city is known as the *città dei murales*.

Il Carnevale più famoso d'Italia è quello di Venezia.	Il Carnevale più famoso d'Italia è quello di Viareggio.	Il Carnevale più famoso d'Italia è quello di Putignano.
La Colonna di Traiano era il più grande monumento dell'antichità.	Il Colosseo era il più grande monumento dell'antichità.	Il Pantheon era il più grande monumento dell'antichità.
Montecarlo è il più piccolo stato indipendente del mondo.	San Marino è il più piccolo stato indipendente del mondo.	Il Vaticano è il più piccolo stato indipendente del mondo.
Lo sci è lo sport più popolare in Italia.	Il ciclismo è lo sport più popolare in Italia.	Il calcio è lo sport più popolare in Italia.
L'Ariston di Sanremo è il teatro più famoso d'Italia.	La Scala di Milano è il teatro più famoso d'Italia.	Il Petruzzelli di Bari è il teatro più famoso d'Italia.
La Sicilia è l'isola più grande d'Italia.	Lampedusa è l'isola più grande d'Italia.	Capri è l'isola più grande d'Italia.
Diamante (CS)	Bardolino (VR)	Avezzano (AQ)

12 *Curiosità d'Italia*. Choose the correct adjective from the list provided and complete the sentences with the relative superlative. Then, match the sentences to the appropriate photo, leaving one picture unused.

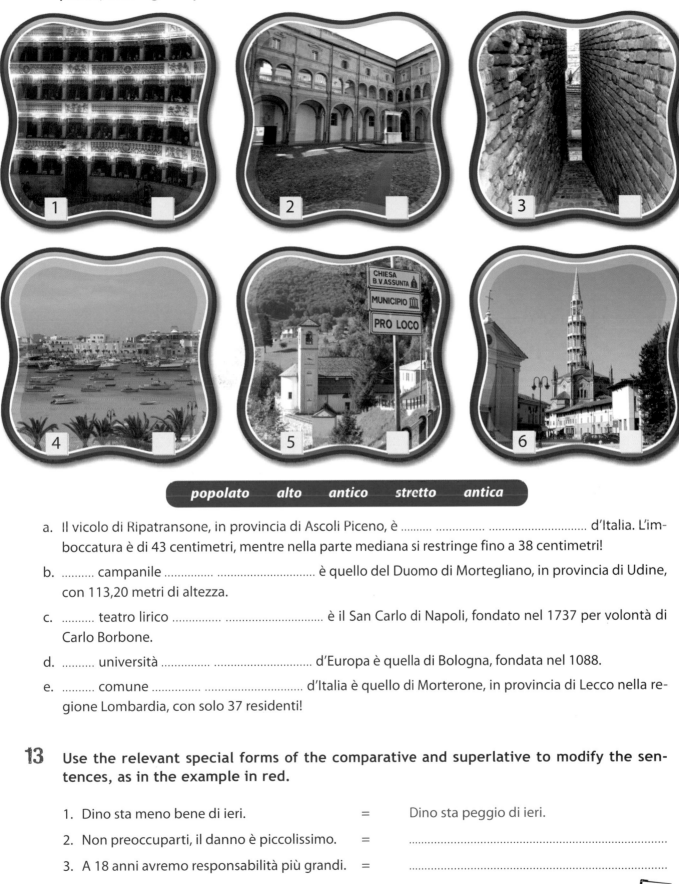

popolato   alto   antico   stretto   antica

a. Il vicolo di Ripatransone, in provincia di Ascoli Piceno, è .... d'Italia. L'imboccatura è di 43 centimetri, mentre nella parte mediana si restringe fino a 38 centimetri!

b. .... campanile .... è quello del Duomo di Mortegliano, in provincia di Udine, con 113,20 metri di altezza.

c. .... teatro lirico .... è il San Carlo di Napoli, fondato nel 1737 per volontà di Carlo Borbone.

d. .... università .... d'Europa è quella di Bologna, fondata nel 1088.

e. .... comune .... d'Italia è quello di Morterone, in provincia di Lecco nella regione Lombardia, con solo 37 residenti!

13 Use the relevant special forms of the comparative and superlative to modify the sentences, as in the example in red.

1. Dino sta meno bene di ieri.   =   Dino sta peggio di ieri.

2. Non preoccuparti, il danno è piccolissimo.   = ...

3. A 18 anni avremo responsabilità più grandi.   = ...

4. Il mio stipendio è più basso del tuo.   = ...

5. La pizza più buona la fanno a Napoli.   = ...

6. Abbandonare gli animali è un
   comportamento di bassissimo livello.   = ...

14 **Listen to the interviews and choose the correct option in each case.**

1. Tutti e tre i ragazzi, ad un amico straniero, prima di tutto farebbero vedere:

   a) la propria città
   b) il mare
   c) Roma

2. Soltanto uno dei ragazzi intervistati sa che Trinità dei Monti si trova:

   a) a Bologna
   b) a Firenze
   c) a Roma

3. Per tutti e tre i ragazzi, Piazza San Marco, si trova:

   a) a Roma
   b) a Milano
   c) a Venezia

4. Per uno dei ragazzi, il monumento più rappresentativo d'Italia è:

   a) il Duomo di Modena
   b) il Colosseo
   c) il Ponte Vecchio

Test finale

A **Put the words in the correct order to make sentences.**

1. di / Giulia / sportivo / è / Stefano / meno   ....

2. giocano / Simone e Giorgio / di / noi / più   ....

3. Napoli / di / Salerno / popolata / più / è   ....

4. hai / di / studiato / Luca / Tu / meno   ....

5. Dino / Paolo / divertente / come / è   ....

6. che / Hong Kong / moderna / tradizionale / più / è   ....

7. fare / sport / più / Mi / leggere / che / piace ....

8. pasta / Mangio / che / carne / meno ....

B Choose the correct answer to each question.

1. È una città grande Roma?
   a. Sì, è la più grande d'Italia.   b. Sì, è il più grande d'Italia.

2. È bravo a scuola Paolo?
   a. No, è il meno bravo della classe.   b. No, è la meno bravo della classe.

3. Sono belli questi luoghi della Francia?
   a. Sì, sono le più belle da visitare!   b. Sì, sono i più belli da visitare!

4. È interessante la lezione di storia?
   a. No, è la meno interessante di tutto il corso!   b. Sì, è il più interessante di tutto il corso!

5. Sono divertenti quei video su YouTube?
   a. Sì, sono le più divertenti dell'anno!   b. Sì, sono i più divertenti dell'anno!

6. È pigro Dino?
   a. Sì, è il più pigro del gruppo.   b. Sì, sono i più pigri del gruppo.

C Complete the sentences by using one of the expressions provided to comment on the weather.

è sereno	Nevica	Fa brutto tempo	Fa freddo	fa caldo	Piove

1. Andiamo in montagna a sciare?

   Perché no? ....!

2. Oggi è la giornata ideale per fare shopping in galleria!

   Hai ragione. ....

3. Andiamo in Piazza del Duomo?

   Non è una buona idea. ....!

4. Io andrei proprio al mare questo weekend.

   Bella idea! Qui in città ....!

5. Ceniamo in terrazza stasera?

   Certo! Il cielo ....

6. Visitiamo Firenze la settimana prossima?

   No, non credo. ....

Right answers: ___/20

1 Complete the diagrams by adding six words, which could include titles, to each. Feel free to look up words you don't know in a dictionary!

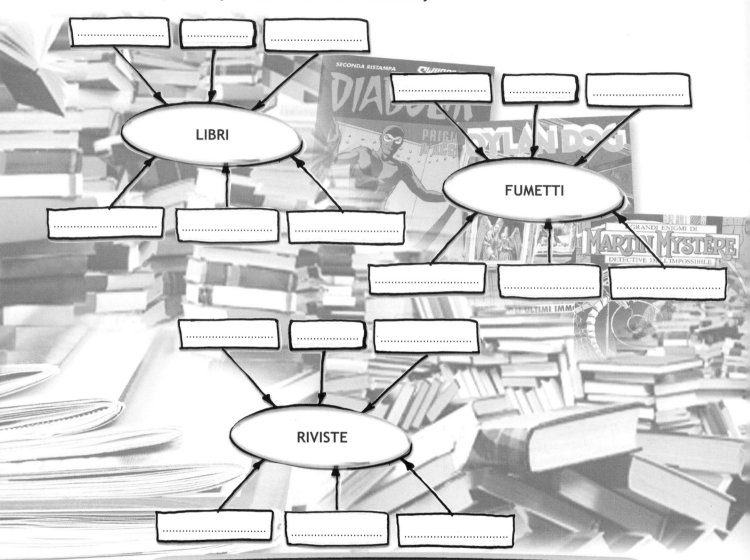

LIBRI

FUMETTI

RIVISTE

2 Stefano sends Giulia a message to apologise. Read the dialogue on page 64 again and complete the message.

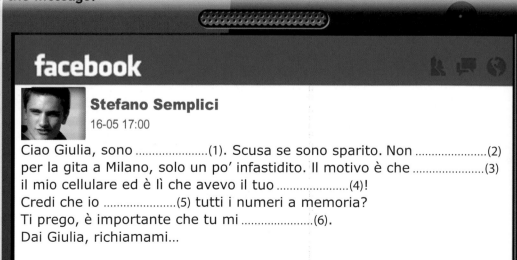

facebook

Stefano Semplici
16-05 17:00

Ciao Giulia, sono ....(1). Scusa se sono sparito. Non ....(2) per la gita a Milano, solo un po' infastidito. Il motivo è che ....(3) il mio cellulare ed è lì che avevo il tuo ....(4)!
Credi che io ....(5) tutti i numeri a memoria?
Ti prego, è importante che tu mi ....(6).
Dai Giulia, richiamami...

How about you? Do you believe Stefano's explanation? Make up another reason to explain why Stefano didn't call Giulia?

Secondo me, Stefano non ha chiamato Giulia perché ....

....

....

3 Choose the correct forms of the present subjunctive, starting with the example in blue, to discover the birthplace of Dante Alighieri, the father of the Italian language.

io (*credere*)	credete	creda	credi	crede
tu (*studiare*)	studiate	studio	studi	studia
lui/lei/Lei (*partire*)	parte	parto	parta	parti
noi (*finire*)	finiate	finiamo	finisca	finisce
voi (*essere*)	siate	sia	sono	siete
loro (*avere*)	abbiano	hanno	abbiate	abbia

Firenze | Roma | Venezia | Perugia

4 Complete the following message posted online by Alessia with the forms of the present subjunctive provided.

Leggere... sì o no?

sia   decidano   si sforzi   rispondiate   sia   leggano

Cerca ▶

Home   Profilo personale   Amici   Foto e messaggi

Alessia

Profilo   Amici   Foto   Album dei ritagli   Diario   Gruppi

Ciao ragazzi!

Rispondo al post precedente di Enrico e a tutti quelli che non aprono MAI un libro! Non è che io ....(1) una secchiona, ma è importante che tutti i ragazzi ....(2) qualcosa. Ed è importante che ....(3) di farlo soprattutto per piacere e non per dovere. Bisogna che uno ....(4) un po' perché l'esperienza della lettura di un libro è unica. Siamo arrivati al punto di scegliere un testo perché facile e non troppo lungo senza capire che leggere richiede un certo sforzo perché ....(5) uno stimolo e un arricchimento. Così è anche più facile andare bene a scuola! Ma lo sapete che la lettura aiuta anche nello studio di altre lingue?

Allora, aspetto che mi ....(6) per dirmi quale libro avete scelto di leggere. Buona lettura...

Alessia

Do you agree with Alessia? Write a reply to her message outlining what you think.

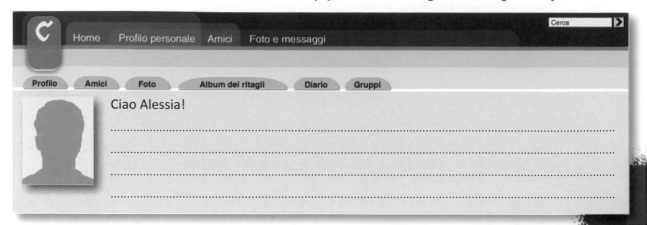

Home   Profilo personale   Amici   Foto e messaggi   Cerca

Profilo   Amici   Foto   Album dei ritagli   Diario   Gruppi

Ciao Alessia!

....

....

....

....

5   **a. Complete the sentences by choosing the correct subject for the dependant clause.**

1. Penso che oggi Graziella e Giorgio / io / voi finiscano di lavorare tardi.

2. Non è possibile che voi / tu / io e mia sorella voglia sempre mangiare!

3. Vi sembra che noi / io / Sabrina sappiamo il vostro numero a memoria?

4. È importante che Giulia / Dino e Paolo / le ragazze creda alla storia di Stefano.

5. È improbabile che lei / loro / voi escano stasera.

6. Non mi pare che Paolo / noi / tu e Alessia abbia voglia di venire con noi in gita.

b. Complete the sentences with the present subjunctive of the verbs provided. They are not in order.

| dovere | andare | salire | potere | stare | scegliere |

1. Dopo questa brutta esperienza, mi auguro che Lei .... bene, signor Ferri.

2. Non credo che i bambini .... giocare ancora: è già abbastanza tardi!

3. Sono felice che tu .... venire alla mia festa.

4. Prima che .... via, voglio dirvi ciò che penso.

5. Speriamo che questa volta tu .... un bel libro, perché l'ultimo era proprio banale.

6. Sì, fa caldo! Sembra che la temperatura .... ancora questo fine settimana.

6   **Match a line from the left to one on the right. Then, find the verb that is in the subjunctive and write down what it expresses, as in the example.**

1. – Hai saputo niente del concorso?   a. – Domani. Non vedo l'ora che arrivino!

2. – Chi ha scritto il libro "Cuore"?   b. – No, niente. Ma mi auguro che vinca il nostro gruppo.

3. – Ti accompagno io in gita a Milano?   c. – No, voglio che venga Stefano. Lui adora le grandi città!

4. – Ma quando vengono i tuoi amici?   d. – Aspettiamo che Paolo finisca la partita, viene anche lui.

5. – Fabrizio non è con te?   e. – Mmm… credo che l'autore sia Edmondo De Amicis.

6. – Vogliamo andare al cinema?   f. – Non verrà. Ho paura che abbia la febbre.

	Forma del congiuntivo	Esprime...
1	vinca	augurio
2		
3		
4		
5		
6		

7 Each sentence, originally written in the indicative, needs to be rewritten in the subjunctive. Amend the verb accordingly.

1 Nostra figlia viaggia molto.
DESIDERIO: Desideriamo che nostra figlia .... molto.

2 Giulia mi perdona.
STATO D'ANIMO: Sono felice che Giulia mi ....

3 Il mio ragazzo mi chiama.
ATTESA: Aspetto che il mio ragazzo mi ....

4 La prof promuove un progetto di gemellaggio letterario.
AUGURIO: Speriamo che la nostra prof .... un progetto di gemellaggio letterario.

5 "Tre metri sopra il cielo" è un bel libro.
OPINIONE SOGGETTIVA: Credete che "Tre metri sopra il cielo" .... un bel libro?

6 Leggere è molto rilassante.
INCERTEZZA: Non so se leggere .... molto rilassante.

8 Look at the cover of the book, read the synopsis and complete the information slip that follows.

Il libro racconta la storia di Gaspare Torrente, figlio di pescatore e bravissimo in latino, arrivato a Torino da una piccola isola del Sud Italia. Un ragazzo come lui, che a tredici anni traduce Orazio e legge Verlaine, deve fare il liceo e dimenticare il piccolo mondo senza tempo dell'isola. Al liceo Gaspare non trova grandi maestri ma insegnanti pigri e senza ispirazione. Gaspare è diverso dai suoi compagni, con le scarpe sbagliate e la felpa senza cappuccio. È fuori moda, fuori tempo, fuori posto: un pesce fuori dalla sua acqua, una barca in un bosco.

Titolo del libro: ....

Autore: ....

Genere letterario: a) letteratura classica   b) letteratura giovanile   c) fumetto

Casa editrice: Guanda

Collana: Le Fenici tascabili

Having read the brief synopsis, write a blurb for the book.

....

....

....

Then, make up an ending for Gaspare's story and write it down.

....

....

....

9   **Complete the sentences with the perfect subjunctive of the verbs provided and match up the columns, as in the example in blue.**

| conoscere | perdere | pentirsi | rubare | inventare | rimanerci |

1. Pare che Stefano ......*abbia perso*...... il cellulare   a. da un libro.

2. Giulia crede che Stefano ....   b. un'altra ragazza.

3. Giulia immagina che Stefano .... male   c. del bacio.

4. È possibile che Stefano ....   d. per la gita.

5. Dino sospetta che Stefano ....   e. una storia.

6. È probabile che Stefano .... l'idea   f. in una libreria.

10   **Put the words in the correct order to make sentences.**

1. si / Stefano / che / Penso / arrabbiato / sia   ....

2. siano / Spero / arrivati / che / loro   ....

3. che / stata / lei / Crediamo / sincera / sia   ....

4. sono / lui / Non / che / abbia / certo / mentito   ....

5. sicuri /? / abbiano / che / loro / studiato / Siete   ....

6. importante / creduto / mi / lei / che / abbia / È   ....

11 Complete the sentences with the present subjunctive, perfect subjunctive and future tense, as in the example.

Credi che...

	IERI	OGGI	DOMANI
1. Maria andare in gita.	Maria sia andata in gita?	Maria vada in gita?	Maria vada/andrà in gita?
2. Stefano rivedere Giulia.			
3. Dino e Paolo giocare a pallone.			
4. Alessia e Chiara leggere un romanzo in inglese.			
5. io non dire la verità.			
6. noi non essere onesti.			

12 Complete the sentences with the expressions provided.

| sembra | è ora | basta | si dice | è meglio | è possibile | è difficile |

1. .... che Estella segua la sua strada per realizzare il suo sogno: fare la cantante!

2. A scuola .... che Fabio abbia seguito lo zio in Madagascar per sfuggire al Grosso.

3. .... che Fabio riesca a trovare i soldi per la costruzione della scuola, ma lui ci proverà lo stesso.

4. .... che Mikael nasconda un segreto, per questo .... che Scarlett stia attenta.

5. Per Scarlett non .... che Mikael abbia fatto qualcosa di male.

6. – Alice e Luca rimarranno insieme? – Secondo me, sì. .... che entrambi resistano ai mesi di lontananza e alla gelosia.

13 Listen to the interviews, more than once if necessary, and complete the table as in the example.

Intervistati	Leggo	Non leggo	Leggo libri	Leggo fumetti	Leggo riviste	Preferisco il libro	Preferisco il film
Studente 1	✔						
Studente 2							
Studente 3							
Studente 4							

Test finale

A **Which word is the odd one out?**

1. LIBRO   RIVISTA   GIORNALE   GITA

2. ROMANZO   CELLULARE   POESIA   GIALLO

3. CITTÀ   COPERTINA   TITOLO   AUTORE

4. FUMETTI   ILLUSTRAZIONI   AUTOBUS   DISEGNI

B **Read Giulia's e-mail to Chiara and decide whether the statements that follow are true (V) or false (F).**

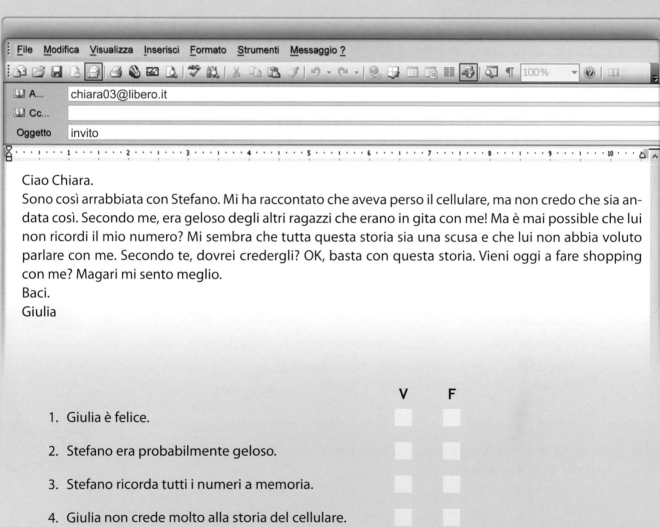

File   Modifica   Visualizza   Inserisci   Formato   Strumenti   Messaggio ?

A...   chiara03@libero.it

Cc...

Oggetto   invito

Ciao Chiara.
Sono così arrabbiata con Stefano. Mi ha raccontato che aveva perso il cellulare, ma non credo che sia andata così. Secondo me, era geloso degli altri ragazzi che erano in gita con me! Ma è mai possibile che lui non ricordi il mio numero? Mi sembra che tutta questa storia sia una scusa e che lui non abbia voluto parlare con me. Secondo te, dovrei credergli? OK, basta con questa storia. Vieni oggi a fare shopping con me? Magari mi sento meglio.
Baci.
Giulia

	V	F
1. Giulia è felice.	☐	☐
2. Stefano era probabilmente geloso.	☐	☐
3. Stefano ricorda tutti i numeri a memoria.	☐	☐
4. Giulia non crede molto alla storia del cellulare.	☐	☐
5. Giulia chiede consiglio all'amica.	☐	☐
6. Giulia vuole che Chiara vada al cinema con lei.	☐	☐

C **Choose the correct forms of the verbs.**

1. Non è necessario che io (1).................................... e vi (2)................................... con il progetto.

      (1)   a. veniamo   (2)   a. aiuti

             b. vengano   b. aiuto

             c. venga   c. aiuta

2. Non mi sembra che tu (1).................................. o (2)................................... molto a scuola!

      (1)   a. studi   (2)   a. si impegna

             b. studio   b. ti impegni

             c. studia   c. ti impegno

3. La prof vuole che noi (1).................................. e (2)....................................... tutto il romanzo.

      (1)   a. legge   (2)   a. commentiamo

             b. leggano   b. commenti

             c. leggiamo   c. commentiate

4. È meglio che voi (1)................................... la verità e (2)...................................... bene quello che è successo.

      (1)   a. sappiate   (2)   a. capite

             b. sapete   b. abbiate capito

             c. saprete   c. capiate

5. Credo che i signori Tagliaferri, del piano di sopra, (1)................................... l'appartamento e (2).................................. ad abitare in un'altra città, forse a Rovigo.

      (1)   a. hanno venduto   (2)   a. andiate

             b. vendano   b. siano andati

             c. abbiano venduto   c. sono andati

6. Sembra che Federica (1)................................... questa mattina e (2)................................... a Parma.

      (1)   a. è partita   (2)   a. sei già arrivata

             b. sia partita   b. è già arrivata

             c. sei partita   c. sia già arrivata

Right answers: ___/22

1 Read the telephone conversation on page 78 again. Then, put the following lines in the correct order and create an ending for the love story between the two characters. Will Giulia forgive Stefano?

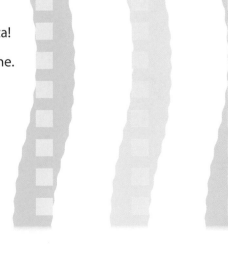

1	*Giulia*:	Pronto? Ah, sei tu? Che sorpresa! Ma non avevi perso il mio numero!
	Giulia:	Tu cosa avresti fatto al mio posto?
	Giulia:	Non lo so, forse non volevi parlarmi... e adesso ti rendi conto di aver sbagliato...
	Giulia:	....
	Giulia:	....
	Stefano:	Ho provato a parlarti, ma ti sei arrabbiata e sei andata via.
	Stefano:	Scusa, Giulia, lasciami concludere. Io ti voglio bene! Ti ho sempre voluto bene. Facciamo pace?
	Stefano:	Ciao Giulia. Me lo ha appena ridato Alessia... Perché pensi che ti abbia mentito?
	Stefano:	....
	Stefano:	....

2 Match a line from the left to one, from the right, that has the same meaning. Be careful, though: the column on the left has an extra line that reveals Giulia's decision!

1. Fammi finire di spiegare.
2. Non vorrei essere nei suoi panni!
3. Ti voglio bene!
4. Perde sempre il filo.
5. Ho capito e l'ho perdonato.
6 Me la sono presa con Stefano.

a. Non riesce a riprendere il discorso interrotto.
b. Ci tengo a te.
c. Mi sono arrabbiata con lui.
d. Lasciami concludere e chiarire.
e. Per fortuna non sono al suo posto.

3 Use a tick to indicate, as in the example, whether the dependent clauses express an action that takes places before, at the same time as, or after the action expressed in the main clause?

	Anteriore	Contemporanea	Posteriore
1. Stefano dice che arriva alle sette.			✓
2. Ho saputo che la mia amica verrà con noi alla gita!			
3. Mio nonno dice che aveva tanti hobby da giovane.			
4. Giulia sapeva che Stefano non aveva mentito.			
5. Pensavo che avresti fatto un lavoro migliore.			
6. Diceva che eravamo molto amici.			
7. Capisco che le vuoi molto bene.			
8. Non immaginavo che avrebbero mentito.			

4 Choose the correct tense for the verb in each case.

1. Mia sorella mi scrive che .... presto per la Cina.

   a. partiva   b. è partita   c. partirà

2. Sapevo che lui mi .... quel pomeriggio.

   a. avrebbe parlato   b. parla   c. parlerà

3. Ho sentito che Dino .... con Paolo alla partita domani.

   a. andrà   b. è andato   c. sarà andato

4. Chiara ci ha detto che .... in Puglia da piccola.

   a. vive   b. avrebbe vissuto   c. aveva vissuto

5. I ragazzi sapevano che Sara .... una bicicletta nuova.

   a. comprava   b. aveva comprato   c. comprerà

6. Sapevamo che Stefano e Giulia .... pace.

   a. fanno   b. hanno fatto   c. avrebbero fatto

5 *Caccia all'errore!* Three of the verbs highlighted in red are in the wrong tense: find and correct them.

1

Ha detto che domani è andato dal dentista.

....

2

I miei amici mi dicono sempre che dovevo stare più attenta, se voglio trovare il ragazzo giusto.

....

3

Sapeva che il suo ragazzo era geloso, ma non le importava.

....

4

Non pensavo che Stefano mi avrebbe mentito.

....

5

Dino ha scritto su Facebook che era andato al concerto stasera alle otto.

....

6

Poverino. Non ha avuto il coraggio di dire alla sua ragazza che aveva perso il suo numero!

....

6 Complete the word search to find the five expressions we came across on page 81 for 'permitting' and 'tolerating'. Then, use them to answer the questions.

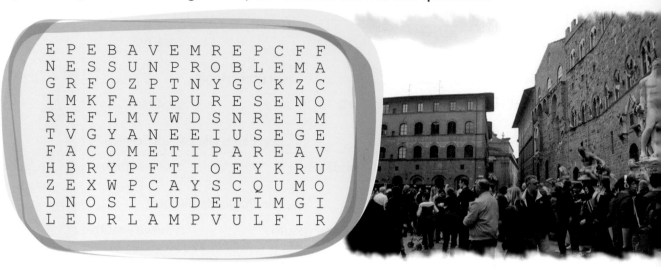

```
E P E B A V E M R E P C F F
N E S S U N P R O B L E M A
G R F O Z P T N Y G C K Z C
I M K F A I P U R E S E N O
R E F L M V W D S N R E I M
T V G Y A N E E I U S E G E
F A C O M E T I P A R E A V
H B R Y P F T I O E Y K R U
Z E X W P C A Y S C Q U M O
D N O S I L U D E T I M G I
L E D R L A M P V U L F I R
```

1. Perché non andiamo in gita a Firenze, anziché a Milano? ....

2. Non vengo al cinema, non mi piace il film! ....

3. Io vado prima in centro, poi vi raggiungo al bar. ....

4. Scusa, posso prendere il tuo libro? ....

5. Posso usare il tuo cellulare? Il mio è scarico. ....

7 During the lesson, Paolo was distracted by a number of text messages and his notes are incomplete. Read the text on page 82 again and help him piece together the story of St. Valentine. Then, compare the traditions described on page 82 to the traditions in your country. Write down the things they have in common in the central section of the diagram, and the differences in the white sections.

Appunti: San Valentino

San Valentino era un ....(1) e martire cristiano, adesso santo dell'amore, che aveva fatto volare decine di ....(2) intorno a una coppia di innamorati per farla smettere di litigare. Ma la festa ha quasi certamente origini più antiche: in epoca ....(3), in una festa dedicata alla fertilità. Nell'Ottocento è poi diventata una festa commerciale negli Stati Uniti e oggi si festeggia molto nei Paesi di cultura ....(4) dove gli innamorati si regalano fiori e cioccolatini accompagnati da un biglietttino ....(5). In Spagna si regalano soprattutto rose rosse e in Olanda ....(6) di liquirizia. In Giappone sono le ....(7) a regalare cioccolatini ai ragazzi!

in altri Paesi | in comune | nel mio Paese

8 **a. Guess where the teenagers will be spending their summer holidays, using the information they have provided to help you.**

Andrò da sola in un posto senza spiagge, all'estero.

Andrò con i miei, ma non andrò né in montagna né al mare.

Potrò godermi la città con meno traffico, ma più turisti.

Andrò due settimane con gli amici in tenda.

Andrò con la famiglia a fare tanti bagni.

Non soffrirò certamente il caldo!

a. Andrà in montagna.

b. Andrà in campeggio.

c. Andrà al lago dai nonni.

d. Andrà al mare.

e. Farà uno "stage" a Londra.

f. Resterà a Firenze.

b. In an e-mail, write about where you are going and what you are going to do next summer (40-50 words). Use the following expressions.

Io credevo che... e invece...   *Pensiamo di andare...*   *Altro che...!*   *Incredibile, no?*

....

....

....

....

9 **Paolo is sometimes a little conceited: he thinks he is more capable than everyone else. Change the verbs highlighted in red to the present subjunctive, as in the example in blue.**

1. Non penso di essere distratto.

   Penso che voi siate distratti!

2. Credo di fare bene l'esercizio.

   Non credo che i miei compagni .... bene l'esercizio!

3. Non dubito di vincere il concorso.

   Dubito che la tua squadra .... il campionato!

4. Sono certo di essere il più bravo della classe.

   Immagino che Giulia non .... la più brava della classe!

5. Sono sicuro di poter fare un ottimo lavoro.

   Mi auguro che voi .... fare questo lavoro!

6. Sono convinto di giocare bene a tennis.

   Non sono convinto che tu .... bene a tennis!

10 Decide whether the verb in the dependant clause (highlighted in red) is in the infinitive, the indicative or the subjunctive, as in the example. Mark your choice under the appropriate heading in the table.

1. Bisogna che gli studenti abbiano più autonomia.
2. È meglio arrivare agli appuntamenti con 5 minuti di anticipo.
3. Secondo me, avete tutti ragione!
4. Carlo è uscito senza che nessuno l'abbia notato.
5. Dobbiamo convincere Mario, affinché sia d'accordo con noi.
6. Sandra crede di sapere tutto, anche se sbaglia spesso.
7. È squillato il telefono, dopo che è andato via.
8. Bisogna studiare.
9. Andiamo, prima che sia troppo tardi.
10. Non mi piaci perché sei troppo egoista.

Infinito			Indicativo			Congiuntivo		
						1		

11 Like many Italians, Dino and Paolo sometimes 'forget' the odd subjunctive. Which of the verbs highlighted in red in their messages to each other ought to be changed from the indicative to the subjunctive mood? Find the sentences that are incorrect and write them correctly.

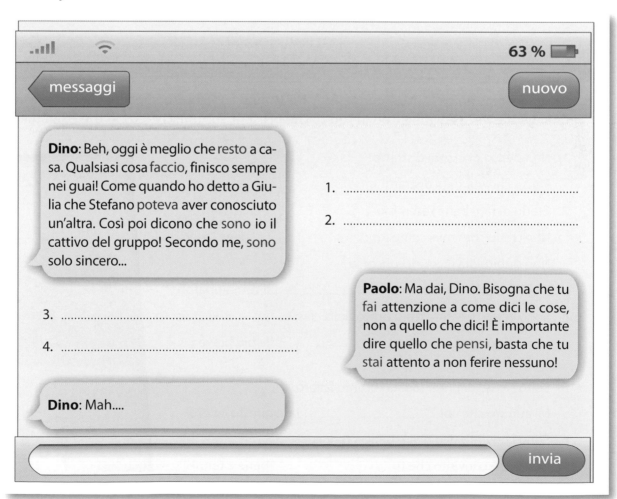

Dino: Beh, oggi è meglio che resto a casa. Qualsiasi cosa faccio, finisco sempre nei guai! Come quando ho detto a Giulia che Stefano poteva aver conosciuto un'altra. Così poi dicono che sono io il cattivo del gruppo! Secondo me, sono solo sincero...

1. ....

2. ....

Paolo: Ma dai, Dino. Bisogna che tu fai attenzione a come dici le cose, non a quello che dici! È importante dire quello che pensi, basta che tu stai attento a non ferire nessuno!

3. ....

4. ....

Dino: Mah....

invia

12 Write the following sentences in the impersonal form, as in the example.

1. Per la festa di Chiara mi vesto in modo elegante. = Alle feste ci si veste in modo elegante.

2. Mi diverto molto ai concerti. = ...

3. Se andavamo più veloci, arrivavamo prima. = ...

4. Se sto attento non succede nulla. = ...

5. In genere, io mangio con la TV spenta. = ...

6. L'albergo è vicino al Colosseo, ma pago poco. = ...

7. Ieri ho ballato fino a tardi a casa di Lucia. = ...

8. La domenica Andrea si alza sempre tardi. = ...

9. Quando sono stanco, mi addormento subito. = ...

10. Ogni volta che nevica cammino facendo più attenzione. = ...

13 Listen to the interviews and choose the statements that are correct.

1. Il carattere di una persona non è importante.

2. Per me è importante l'aspetto fisico, se uno è bello ti attira di più.

3. Per San Valentino ho ricevuto in regalo un iPad.

4. Non ho mai ricevuto un regalo per la festa degli innamorati.

5. Io cerco di passare più tempo possibile con la persona che mi interessa

6. Credo che l'ambiente più importante nella crescita di una persona sia la famiglia.

Test finale

A Choose the correct word or expression to complete the sentences.

1. Scusa Giulia, ma avevo perso il tuo ....   a. amore   b. numero

2. Perché non mi dai attenzioni e sei così ....?   a. fredda   b. calda

3. Scusami, ma mettiti nei miei ....   a. vestiti   b. panni

4. Adesso mi arrabbio, sto perdendo la ....   a. memoria   b. pazienza

5. .... che vai in vacanza a New York!   a. Beata te   b. Ti dispiace

6. Stella ha preparato una cenetta a .... di candela.   a. luce   b. lume

B   **Choose the correct form of the verb to complete each sentence.**

1. So che .... Giulia ieri.
    a. hai incontrato   b. incontrerai   c. incontri

2. Ho capito che .... con un ragazzo domani.
    a. sei uscita   b. esca   c. uscirai

3. È bello quando ....
    a. si è felici   b. si è felice   c. ero felice

4. Credevo che tu ....
    a. mi capirai   b. mi avresti capito   c. mi capisca

5. Alla festa di ieri .... del problema di Chiara.
    a. si parla   b. si sono parlati   c. si è parlato

6. Non ho detto che .... poco fa.
    a. menti   b. hai mentito   c. mentirai

7. In questa casa, di solito, ... a dormire tardi.
    a. si va   b. si vanno   c. vada

8. Penso di .... bravo in inglese.
    a. sono   b. si è   c. essere

9. Non è impossibile che, anche in Italia, ... male in qualche ristorante.
    a. mangiare   b. si mangi   c. si è mangiati

10. Non è necessario .... sempre arrabbiati.
    a. essere   b. sia   c. si è

11. Secondo me, Dino .... sincero.
    a. si è   b. è   c. sia

12. Bisogna che Alessia .... di più!
    a. studia   b. studi   c. si è studiato

C   **Complete the crossword with the appropriate infinitive verbs.**

1. Iniziare a provare un sentimento di amore per qualcuno.
2. Provare rabbia per qualcuno.
3. Dire bugie.
4. Preoccuparsi per una persona, volerle bene.
5. Mettere fine a una relazione.
6. Parlare con le mani.

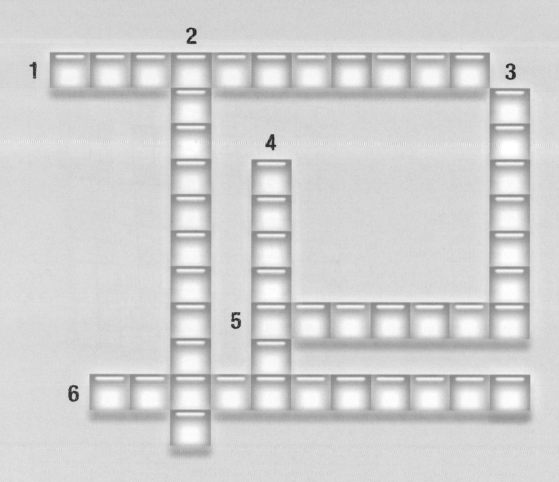

Right answers: ___/24

Minitest

Unità 1

Read the clues and complete the crossword.

Across

1. Film che parla di omicidi e indagini della polizia.
3. – Il nostro film è già iniziato!
   – ..., ne vedremo un altro.
5. Pensavo di andare al cinema, ma poi ho cambiato ...
6. Questo film parla della fine del mondo o qualcosa di ...
7. Comico, attore e regista toscano.
9. *Voglio* al condizionale presente.
10. Non vedo Dino da alcuni giorni. Anzi, ora che ci ..., non lo sento da una settimana.
11. Io parlerei, tu parleresti, lui/lei ...

Down

2. Modo verbale usato per esprimere un desiderio.
3. Anche se mi ..., non posso venire con voi: devo studiare!
4. Opera cinematografica.
8. Ho un solo ...: fare la cantante.

Check your answers on page 183.
Are you satisfied?

Unità 2

Read the clues and complete the crossword.

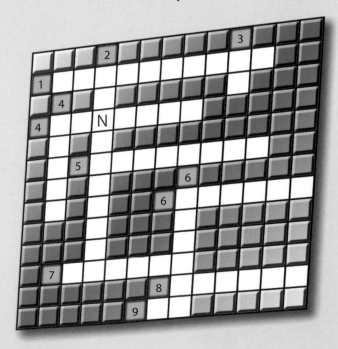

Across

1. È organizzata in facoltà.
4. – Claudio, ti piace Tiziano Ferro?
   – Ad essere ... non è tra i miei cantanti preferiti.
5. Si studia per diventare medico.
6. – Chi dà una mano a Dino? – ... do io!
7. – Ti chiedo scusa; ho fatto un pasticcio.
   – Non preoccuparti; non fa ...
8. La ottengono gli studenti che finiscono l'università.
9. – Hai saputo la novità?
   – No, nessuno me ... ha parlato.

Down

2. Due che si amano sono ...
3. – Mi dai il tuo numero? – Sì, ... lo scrivo sul diario.
4. Marco, ti ho perso la gomma! Ti chiedo ...
6. – Luigi, dai le penne a Paolo? – Sì, ... do subito.

Check your answers on page 183.
Are you satisfied?

Unità 3

Read the clues and complete the crossword.

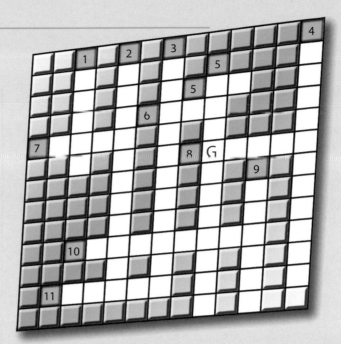

Across

5. – Sapete che Paolo ha preso nove in italiano?!
   – Ma ...!
6. Hai letto il messaggio ... ti ho mandato ieri?
7. Giovanni, stai attento! Secondo me, quella ragazza ti prende in ...
8. Sono sicuro che non le è successo niente di ...
10. Scrivere utilizzando una tastiera.
11. – Ieri Dino è stato otto ore davanti al computer.
    – No! Non ci ...!

Down

1. Posta elettronica.
2. Il contrario di *possibile*.
3. Aggettivo relativo a tecnologia.
4. Esclamazione usata quando non possiamo credere a qualcosa.
5. Verbo riflessivo, significa *provare vergogna*.
9. Vado d'accordo con tutti ... che usano il pc.

Check your answers on page 183.
Are you satisfied?

Unità 4

Read the clues and complete the crossword.

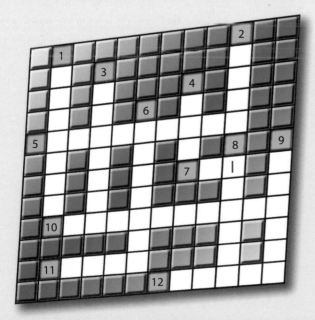

Across

5. Aggettivo di *turista*.
7. Giulia è più alta ... Carla.
10. Superlativo assoluto di *bella*.
11. Capitale d'Italia.
12. Il D... di Milano è famoso in tutto il mondo.

Down

1. Aggettivo di *caos*.
2. Luca ha 16 anni e Stefano ne ha 17. Luca è ... grande di Stefano.
3. Città famosa della regione Toscana.
4. New York ha ... abitanti di Milano.
6. Grande isola e regione del Sud Italia.
8. – Incredibile! Abbiamo vinto noi!
   – Be', io ci speravo fin dall'...
9. Il professore dice che noi in italiano siamo bravi ... voi.

Check your answers on page 183.
Are you satisfied?

Unità 5

Read the clues and complete the crossword.

Across

3. Pubblicazione che esce ogni settimana.
8. Lo usiamo per esprimere certezza.
10. Tutti sanno che tu e Maria non ... solo amici.
11. Il congiuntivo non è un tempo, ma un ... verbale.
12. Breve testo su un'opera letteraria che leggono i futuri lettori.

Down

1. Persona che ha un negozio che vende libri.
2. Credo che Alessia ... stanca.
4. Non sono sicuro che voi ... ragione.
5. Abbassa il volume: la tua musica mi dà ...
6. Non fare così! Non è poi la fine del ...
7. Temo che voi ... in ritardo.
9. Se ti mancavo tanto, ... mai non mi hai telefonato nemmeno una volta?

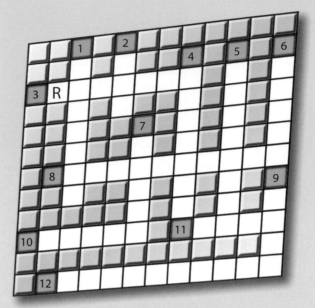

Check your answers on page 183.
Are you satisfied?

Unità 6

Read the clues and complete the crossword.

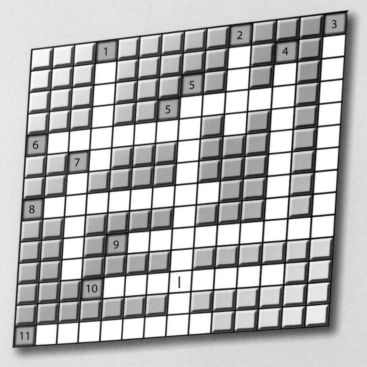

Across

5. Per me non è facile: mettiti nei miei ...
6. Pensavo che mi ... telefonato e invece non l'hai fatto!
8. La festa degli innamorati è il 14 ...
9. Oggi abbiamo mangiato carne; penso che domani ... pesce.
10. Lo è chi non dice la verità.
11. Sentimento di affetto e simpatia.

Down

1. Sentimento di affetto intenso, molto profondo.
2. La terza parola in TVB.
3. Santo protettore degli innamorati.
4. Non andare più d'accordo e discutere.
5. Piccoli piccioni "innamorati".
7. Anche se non mi credi, io a te ci ...

Check your answers on page 183.
Are you satisfied?

Studente A

Unità 3

Sei un commesso di *Computerworld*. Un cliente (studente *B*) cerca un tablet sui 300-350 euro. Tu però gli proponi il nuovo iPad, che è appena arrivato e che è la tua passione. Costa di più, ma ha le seguenti caratteristiche:

Peso: 100 grammi più leggero
Schermo: risoluzione del 30% migliore
Processore: velocità del 20% superiore
Batteria: 5 ore di più
Memoria: del 10% più grande
Telecamera: risoluzione del 40% migliore
Design: nuovo, in 3 colori
Dimensioni: le stesse
Sistema operativo: migliore
Apps: molte di più
Prezzo: 499 euro (come il modello precedente)

Unità 4

La tua classe (26 studenti) vuole fare una gita di 5 giorni in Italia e visitare almeno 3 città (Roma, Firenze, Venezia). Vai in un'agenzia di viaggi per chiedere informazioni. Di seguito alcune delle domande che puoi fare a *B*, l'impiegato dell'agenzia.

È possibile visitare le 3 città in 5 giorni?
Quanto costano i biglietti aerei per Roma con ritorno da?
Quanto costa la camera doppia in un albergo a tre stelle?
È possibile scegliere le date del viaggio?
Come ci sposteremo tra una città e l'altra?
Quali luoghi e monumenti visiteremo in ogni città?
Cosa comprendono i pacchetti offerti dalla vostra agenzia?

Unità 5

Valeria, la nuova compagna di classe, ti ha invitato alla sua festa di compleanno. Sai che le piace leggere, quindi pensi di comprarle un libro. Vuoi fare una bella figura, ma non sai che tipo di libri le piacciono. Chiami *B*, che forse la conosce meglio di te, per chiedergli/le un consiglio.

Unità 6

Anna è una tua amica intima e sta con Beppe e ne è innamorata cotta. Ma vieni a sapere che questo Beppe, che a te non è mai stato molto simpatico, non è del tutto sincero e fedele! Anzi, tu stesso/a l'hai visto per strada insieme ad un'altra ragazza! Non sai che fare. Alla fine decidi di chiamare Anna e raccontarle tutto.

Studente B

Unità 3

Entri in un negozio di computer: cerchi un tablet sui 300-350 euro. Il commesso (studente *A*) ti propone un iPad molto più caro e cerca di convincerti a comprarlo, parlando dei suoi vantaggi. Tu, ovviamente vuoi capire se vale veramente la pena spendere così tanti soldi e se le caratteristiche tecniche di questo modello (peso, risoluzione schermo, dimensioni, memoria, batteria, telecamera ecc.) lo rendono effettivamente migliore rispetto a quello che avevi in mente.

Unità 4

Lavori in un'agenzia di viaggi. *A* è un cliente: devi capire di che cosa ha bisogno e dargli delle informazioni, anche improvvisando se necessario. Nello stesso tempo cerchi di promuovere uno dei viaggi organizzati dalla vostra agenzia, anche se non sono esattamente ciò che *A* aveva in mente. Di seguito i vostri pacchetti:

Pacchetto 1

Venezia, Firenze e Roma 7 giorni (4-10 marzo / 5-11 aprile)

1° Giorno: Venezia
Arrivo. Sistemazione in albergo a Lido di Jesolo
2° Giorno: Le isole della laguna e Venezia
Murano, Piazza San Marco, Ponte di Rialto, Ponte dei Sospiri
3° Giorno: Venezia / Firenze
Viaggio in autobus e sistemazione in albergo a Firenze. Visita guidata al Palazzo Vecchio, Cattedrale di Santa Maria del Fiore e Ponte Vecchio
4° Giorno: Firenze
Galleria degli Uffizi. Pomeriggio: shopping
5° Giorno: Firenze / Roma
Partenza in autobus per Roma. Sistemazione in albergo. Visita al Foro romano e al Colosseo
6° Giorno: Il Vaticano e la Roma Cristiana
San Pietro, Musei Vaticani e le Catacombe
7° Giorno: Partenza
Costo: 800 euro

Servizi inclusi:

- i voli aerei
- sistemazione in albergo a 3 stelle
- prima colazione a buffet
- le visite guidate
- un dossier con le informazioni necessarie per il viaggio
- tutto ciò che è indicato nel programma

Servizi non inclusi:
- i biglietti dei musei
- il pranzo e la cena
- tutto ciò che non è indicato nel programma

Pacchetto 2

Firenze e Roma 5 giorni (15-19 marzo / 16-20 aprile)

1° Giorno: Firenze
Arrivo. Sistemazione in albergo
2° Giorno: Firenze
Galleria degli Uffizi. Pomeriggio: shopping
3° Giorno: Firenze / Roma
Partenza in treno per Roma. Sistemazione in albergo. Visita al Foro romano e al Colosseo
4° Giorno: Il Vaticano e la Roma Cristiana
San Pietro, Musei Vaticani e le Catacombe
5° Giorno: Piazze di Roma
Mattino libero per le piazze di Roma. Pomeriggio: partenza
Costo: 600 euro

Unità 5

Valeria, una nuova compagna di classe, ti ha invitato alla sua festa di compleanno. Pensi di comprarle un libro, tanto non puoi spendere di più in questo momento. Mentre consulti una libreria online (vedi sotto) cercando un libro che potrebbe piacerle, ti chiama *A*: anche lui/lei vuole regalare un llbro a Valeria e chiede il tuo consiglio. Adesso devi scegliere due libri!

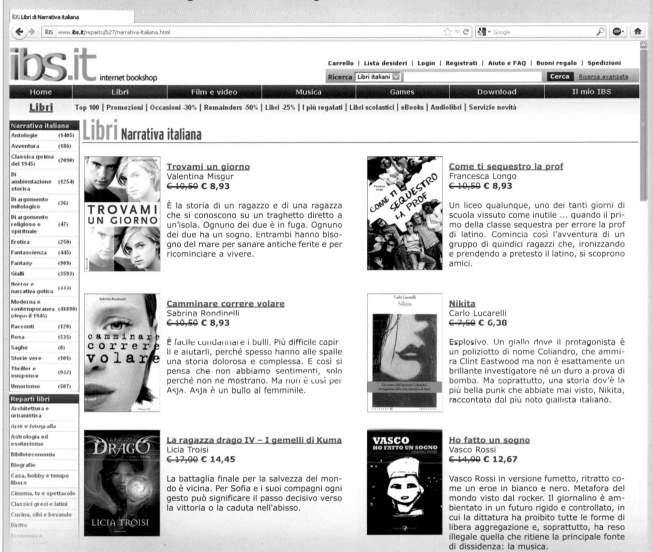

Unità 6

Sei Anna. Stai con Beppe da un po' di tempo. Ti tratta molto bene e ne sei innamorata. Purtroppo Beppe non piace molto ad *A*, il/a tuo/a amico/a del cuore, cosa che trovi molto strana. *A* ti chiama perché ha qualcosa di importante da dirti.

Unità 1

The conditional tense (il condizionale semplice)

	Conjugation I PARLARE	Conjugation II LEGGERE	Conjugation III PREFERIRE
io	parl**erei**	legg**erei**	prefer**irei**
tu	parl**eresti**	legg**eresti**	prefer**iresti**
lui, lei, Lei	parl**erebbe**	legg**erebbe**	prefer**irebbe**
noi	parl**eremmo**	legg**eremmo**	prefer**iremmo**
voi	parl**ereste**	legg**ereste**	prefer**ireste**
loro	parl**erebbero**	legg**erebbero**	prefer**irebbero**

As we can see, the conjugation of -*are* verbs is the same as the conjugation of -*ere* verbs.

Things to note about conjugation I verbs

a. Verbs ending in -*care* and -*gare* add, as they do in the future tense, an *h* between the stem of the verb and the conditional ending: **cercare** = *cercherei, cercheresti, cercherebbe, cercheremmo, cerchereste, cercherebbero*; **spiegare** = *spiegherei, spiegheresti, spiegherebbe, spiegheremmo, spieghereste, spiegherebbero*.

b. Verbs ending in -*ciare* and -*giare* lose, as they do in the future tense, the *i* between the stem of the verb and the conditional ending: **cominciare** = *comincerei, cominceresti, comincerebbe, cominceremmo, comincereste, comincerebbero*; **mangiare** = *mangerei, mangeresti, mangerebbe, mangeremmo, mangereste, mangerebbero*.

Irregular verbs in the conditional tense

Verbs that have an irregular stem in the future tense use that same irregular stem in the conditional tense.

Infinitive	Conditional	Infinitive	Conditional
essere	*sarei*	rimanere	*rimarrei*
avere	*avrei*	bere	*berrei*
stare	*starei*	porre	*porrei*
dare	*darei*	venire	*verrei*
fare	*farei*	tradurre	*tradurrei*
andare	*andrei*	tenere	*terrei*
cadere	*cadrei*	trarre	*trarrei*
dovere	*dovrei*	spiegare	*spiegherei*
potere	*potrei*	pagare	*pagherei*
sapere	*saprei*	cercare	*cercherei*
vedere	*vedrei*	dimenticare	*dimenticherei*
vivere	*vivrei*	mangiare	*mangerei*
volere	*vorrei*	cominciare	*comincerei*

*Io stavolta vorrei vedere qualcosa
di meno violento!*

Uses of the conditional tense

The conditional tense is used to:
- express a desire: *Preferirei rimanere a casa oggi.*
- ask for something politely: *Le dispiacerebbe parlare più piano?*
- give advice: *Io al posto tuo le comprerei un vestito uguale.*
- express a personal opinion: *Sì, è giovane, non dovrebbe avere più di 35 anni.*
- relay someone else's opinion: *Secondo il direttore della banca, i ladri sarebbero tre ragazzi sui 18 anni!*

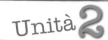

The conditional perfect tense (il condizionale composto)

The conditional perfect tense is formed by using the conditional tense of the auxiliary verbs *essere* or *avere* + the past participle of the verb:
- ***Sarei uscita**, ma pioveva.*
- ***Avremmo visto** il film, ma era già cominciato.*

Uses of the conditional perfect tense

The conditional perfect tense is used to:
- express a desire that was not fulfilled: *Sarei venuta al cinema con voi ieri, ma ero davvero stanca.*
- give advice (on a situation that occurred in the past): *Ieri alla festa di Filippo avresti dovuto essere più gentile con Marta.*
- refer to the future from the past: *Nino ha detto che sarebbe passato.*

Non immaginavo che il film sarebbe stato così bello!

Unità 2

Combined pronouns (i pronomi combinati)

When an indirect object pronoun is used together with a direct object pronoun or the pronoun *ne*, a combined pronoun is needed. The indirect object pronoun always precedes the direct object pronoun or *ne*.

	+ lo	+ la	+ l'	+ li	+ le	+ ne
mi	**me lo**	**me la**	**me l'**	**me li**	**me le**	**me ne**
ti	**te lo**	**te la**	**te l'**	**te li**	**te le**	**te ne**
gli/le/Le	**glielo**	**gliela**	**gliel'**	**glieli**	**gliele**	**gliene**
ci	**ce lo**	**ce la**	**ce l'**	**ce li**	**ce le**	**ce ne**
vi	**ve lo**	**ve la**	**ve l'**	**ve li**	**ve le**	**ve ne**
gli	**glielo**	**gliela**	**gliel'**	**glieli**	**gliele**	**gliene**

The indirect object pronouns *mi*, *ti*, *ci*, *vi* become **me**, **te**, **ce**, **ve** respectively.

All the third person singular indirect object pronouns (*gli*, *le*, *Le*) and *gli* (plural) become *gli* and add an *e* to form, with direct object pronouns and with *ne*, a single word: **glielo**, **gliela**, **gliel'**, **glieli**, **gliele**, **gliene**.

Generally, combined pronouns precede the verb: *– Porti tu i libri a Paolo? – Sì, **glieli** porto io.*

When using the direct (informal) imperative, a gerund, a past participle or an infinitive the pronoun generally follows the verb: *È la canzone degli "Zero Assoluto"? Manda**mela**, per favore!*

– È l'ultima canzone degli Zero Assoluto.
– Bella! Me la mandi tramite Bluetooth?

With the verbs *potere*, *dovere*, *volere* and *sapere* followed by an infinitive, combined pronouns can either precede the verb or follow it; if they follow the verb they join with the infinitive to make one word: ***Glielo** devo dire = Devo **dirglielo**.*

Combined pronouns used in compound tenses

When combined pronouns are used in compound tenses, the past participle agrees:
- in gender and number with the direct object pronouns *lo, la, li, le, la*: – *Mi hai mandato quella canzone? – Sì, te l' (la) ho mandata cinque minuti fa.*
- if the pronoun is *ne*, with the direct object (with the gender of the noun represented by *ne* and with its stated quantity): – *Quante persone hai invitato alla festa? – Ne ho invitate tante.*

Il suo cellulare, te l'ha dato?

Unità 3

The relative pronoun *che*

Che is a relative pronoun; it is invariable, it is never preceded by a preposition and, in the relative clause it introduces, it can act as:
- the subject of the relative clause: *il signore, che parla in TV, è un mio professore.*
- the direct object of the relative clause: *Le scarpe, che vorrei comprare, sono troppo care.*

In compound tenses with the auxiliary verb *avere*, even if *che* precedes the verb (in the same way as a direct object pronoun) the past participle does not change: *Questi ragazzi li ho incontrati ieri.* BUT *Questi sono i ragazzi che ho incontrato ieri.*

Ho conosciuto una ragazza in chat che è veramente simpatica.

The relative pronoun *il quale*

Il quale is a relative pronoun that agrees in gender (*il quale / la quale*) and in number (*i quali / le quali*). It can take the place of the relative pronoun *che*, but only when it functions as the subject and not as the direct object. Therefore, rather than *Ho comprato un paio di scarpe che sono molto belle ma troppo care* (*che* – subject) we can say *Ho comprato un paio di scarpe, le quali sono molto belle ma troppo care*; however, the sentence *Le scarpe, che vorrei comprare, sono molto care* (*che* – direct object) CANNOT be replaced with ~~Le scarpe, le quali vorrei comprare, sono molto care~~.

Generally, the relative pronoun *il quale* replaces the relative pronoun *che* when a sentence is ambiguous: *Ho incontrato la ragazza di Michele che lavora in banca.* Who is it that works in a bank? Michele or his girlfriend? In cases such as this the relative pronoun *il quale* helps to make things clear:
a. *Ho incontrato la ragazza di Michele, la quale lavora in banca.* (Michele's girlfriend works in a bank)
b. *Ho incontrato la ragazza di Michele, il quale lavora in banca.* (Michele works in a bank)

The relative pronoun *chi*

Chi is a relative pronoun that can either be the subject or the object of a sentence. It is invariable and is only ever used in the singular (therefore the verb that follows is in the third person singular) even though it can refer to more than one person:
Chi arriva in ritardo, non potrà entrare. = Le persone che arriveranno in ritardo non potranno entrare.

Other relative pronouns

Some relative pronouns are not preceded by a noun because the noun is built into them. In fact, they are made up of a demonstrative pronoun + *che*:

- **coloro che** means "le persone che" (the people that) and can be replaced by *chi*: *Coloro che non possono partecipare alla gita, devono dirlo entro venerdì = Chi non può partecipare alla gita, deve dirlo entro venerdì.*
- **(tutti) quelli che** always means "le persone che" (it is more colloquial than *coloro che*) and can therefore be replaced by *chi*: *Quelli che non possono partecipare alla gita, devono dirlo entro venerdì = Chi non può partecipare alla gita, deve dirlo entro venerdì.*
- **(tutto) quello che** usually refers to a thing and can be replaced by *quanto*: *Non sono d'accordo con quello che dici = Non sono d'accordo con quanto dici.*

The relative pronoun *cui*

Cui is an invariable relative pronoun that functions only as an indirect object. Consequently, it is always preceded by a preposition: *I ragazzi con cui uscirò domani sono i miei vecchi compagni di scuola.*
The preposition *a* is often omitted: *La persona della mia famiglia (a) cui sono più legato è mia madre.*
The relative pronoun *cui* can never be replaced by the relative pronoun *che*, but it CAN be replaced by the relative pronoun *il quale* (in this case, the preposition combines with the appropriate definite article): *La persona a cui ho telefonato = La persona alla quale ho telefonato* and NOT ~~La persona che ho telefonato~~.

È una cosa di cui mi vergogno un po'.

Other uses of the relative pronoun *cui*

The relative pronoun *cui* indicates possession (*di chi, di che cosa?* - whose?) when positioned between a definite article (*il/la/i/le*) and a noun. The definite article agrees with the noun that follows: *Italo Svevo, il cui vero nome era Ettore Schmitz, è nato a Trieste nel 1861; Quello è il professore le cui lezioni sono molto interessanti.*

Stare + gerund and *stare per* + infinitive

Stavo chattando quando un ragazzo mi scrive che vuole conoscermi.

These are phraseological verbs that highlight a specific aspect of the action and are only used in simple tenses (present tense, imperfect tense, future tense and conditional tense, etc.).

- **Stare + gerund**: highlights the progressive nature of an action; in other words, it indicates that an action is **happening at a given moment**. It is formed using *stare* in the desired tense + gerund*: *Sto inviando le foto a Elena; Ieri pomeriggio stavi dormendo quando ti ho telefonato?*
  - *-are verbs → **-ando**: lavorare → lavor**ando***
  - *-ere verbs → **-endo**: leggere → legg**endo***
  - *-ire verbs → **-endo**: uscire → usc**endo***
  - irregular verbs: *bere →**bevendo**; dire → **dicendo**; fare → **facendo***

- **Stare per + infinitive**: highlights the fact that an action is imminent; in other words, it indicates that an action is **about to occur**: *Sto per uscire, vuoi venire con me?; La settimana scorsa stavo per dirgli tutto, ma poi ho cambiato idea.*

Stavo per dirvelo poi mi sono vergognata.

Unità 4

Comparing two nouns or pronouns

To compare two nouns or two pronouns we can:

- **_più ... di_** (more ... than), by placing _più_ in front of the adjective or after the verb and _di_ in front of the second noun or pronoun: _Giorgio è **più** studioso **di** Mario/me; Giorgio studia **più di** Mario/me._
- **_meno ... di_** (less ... than), by placing _meno_ in front of the adjective or after the verb and _di_ in front of the second noun or pronoun: _Maria è **meno** bella **di** Anna; Mario studia **meno di** Giorgio._
- (to compare equals) **_tanto/così ... quanto/come_** (as ... as), by placing _tanto/così_ (although these are optional) in front of the adjective and _quanto/come_ in front of the second noun or pronoun: _Giorgio è **(tanto)** studioso **quanto** me; Maria è **(così)** bella **come** Anna_, and by putting _tanto_ (although this is optional) after the verb and _quanto_ in front of the second noun or pronoun: _Giorgio studia **(tanto) quanto** me._

Milano è più grande di Firenze.

The absolute superlative of adjectives

The absolute superlative makes no comparison; it is used to indicate that a person or thing possesses a quality to its maximum degree:

- adjective (without its final vowel) + _-issimo/a/i/e_:
  Maria è bell**issima** (= molto bella).
  I tuoi amici sono simpatic**issimi** (= molto simpatici).

Piazza Duomo è bellissima!

Comparing two adjectives, verbs or quantities

Che and NOT _di_ is used if the comparison is*:

- between two adjectives that describe the same person or thing: _Maria è **più/meno** simpatica **che** bella._
- between two infinitive verbs: _È **più** facile spendere **che** guadagnare._
- between two nouns: _Nella mia classe ci sono **meno** ragazze **che** ragazzi._
- when the first and second noun or pronoun are preceded by a preposition: _In inverno sono **più** triste **che** in estate; Sul tuo conto corrente ci sono **più** soldi **che** sul mio!_

* This only applies when making 'più ... di' or 'meno ... di' comparisons; comparing equals remains the same: _Maria è **tanto** simpatica **quanto** bella; Nella mia classe ci sono **tante** ragazze **quanti** ragazzi; Imparare l'italiano è **tanto** utile **quanto** imparare il tedesco._

I milanesi a quest'ora,
più che al lavoro,
vanno a fare spese.

The relative superlative of adjectives

The relative superlative is used to indicate that a person or thing possesses a quality to its maximum or minimum degree in relation to a given group of people or things. It is formed as follows:

- **_il/la/i/le_ + _più/meno_ + adjective**. The noun or pronoun that represents the group (if expressed) is always preceded by **_di_** or **_tra_**: _Maria è **la più** bella **(della** classe); Giorgio è **il meno** simpatico **(tra** loro)._
- **definite article + noun + _più/meno_ + adjective**. The noun or pronoun that represents the group (if expressed) is always preceded by **_di_** or **_tra_**: _È **l'**uomo **più** ricco **(del** paese); Hanno comprato **la** macchina **meno** costosa **(tra** quelle in vendita)._

Irregular comparative and superlative forms

Some **adjectives**, as well as having regular comparative and superlative forms, also have irregular forms that are widely used:

Adjectives	Comparative		Absolute superlative	
buono	(più buono)	**migliore**	(buonissimo)	**ottimo**
cattivo	(più cattivo)	**peggiore**	(cattivissimo)	**pessimo**
grande	(più grande)	**maggiore**	(grandissimo)	**massimo**
piccolo	(più piccolo)	**minore**	(piccolissimo)	**minimo**
alto	(più alto)	**superiore***	(altissimo)	**supremo/sommo**
basso	(più basso)	**inferiore***	(bassissimo)	**infimo**

* *Il tablet che hai comprato è **migliore** del mio.* BUT *I suoi voti a scuola sono **superiori/inferiori** alla media.*

Adverbs (but not all) also have comparative and superlative forms:
- as with adjectives, **più** or **meno** are used to create comparisons: *più vicino, meno spesso*, etc.
- the absolute superlative is formed by adding **-issimo** to simple adverbs: *prestissimo, lontanissimo*, etc.

Here are the comparative and superlative forms of the adverbs *molto, poco, bene, male*:

Adverbs	Comparative	Absolute superlative
molto	**più**	**moltissimo**
poco	**meno**	**pochissimo**
bene	**meglio**	**benissimo**
male	**peggio**	**malissimo**

Unità 5

The present subjunctive (il congiuntivo presente)

	Conjugation I PARLARE	Conjugation II PRENDERE	Conjugation III PARTIRE/FINIRE
io	parl**i**	prend**a**	part**a**/fin**isca**
tu	parl**i**	prend**a**	part**a**/fin**isca**
lui, lei, Lei	parl**i**	prend**a**	part**a**/fin**isca**
noi	parl**iamo**	prend**iamo**	part**iamo**/fin**iamo**
voi	parl**iate**	prend**iate**	part**iate**/fin**iate**
loro	parl**ino**	prend**ano**	part**ano**/fin**iscano**

As we can see, the formation is the same for the first, second and third persons (*io, tu, lui/lei/Lei*); therefore, it is better to use the personal subject pronouns: *L'importante è che tu mi **creda**!*; additionally, the conjugation of *-ere* verbs is the same as the conjugation of *-ire* verbs.

Things to note about conjugation I verbs
a. Verbs ending in *-care* and *-gare* add an *h* between the stem of the verb and the ending: **cercare** = *cerc**h**i, cerc**h**i, cerc**h**i, cerc**h**iamo, cerc**h**iate, cerc**h**ino*; **spiegare** = *spieg**h**i, spieg**h**i, spieg**h**i, spieg**h**iamo, spieg**h**iate, spieg**h**ino*.

L'importante è che tu mi creda!

b. Verbs ending in *-ciare* and *-giare* do not have a double *i*: **cominciare** > *cominci* (and NOT ~~comincii~~); **mangiare** > *mangi* (and NOT ~~mangii~~).

The present subjunctive of *essere* and *avere*

	ESSERE	**AVERE**
io	sia	abbia
tu	sia	abbia
lui, lei, Lei	sia	abbia
noi	siamo	abbiamo
voi	siate	abbiate
loro	siano	abbiano

"Giulia pensa che io sia arrabbiato per la gita a Milano."

Uses of the subjunctive (I)

The **subjunctive mood** is used primarily in dependant clauses (clauses introduced by and dependant on a main clause), but only when the subject of each clause is different. It is used to express:

- a **personal opinion**: *Credo/Penso che si chiami Anna.*
- **uncertainty**: *Non sono sicuro/certo che Mario sia un vero amico.*
- a **will/desire**: *Voglio / Non voglio che tu legga questo libro.*
- a **state of mind**: *Sono felice/contento che tu stia bene.*
- **wishes** or **hopes**: *Spero / Mi auguro che la festa abbia successo.*
- **expectation**: *Aspetto che smetta di piovere.*
- **fear**: *Ho paura / Temo che lui cambi idea.*

Credi che io ricordi tutti i numeri a memoria?

If, on the other hand, the main clause expresses certainty or objectivity, the **indicative mood** is used: *Sono sicuro che lui è un vero amico; So che si chiama Luca; È chiaro che hai ragione.*

Irregular verbs in the present subjunctive

Infinitive	Present Tense		Present Subjunctive		
andare	vado	vada	andiamo	andiate	vadano
dire	dico	dica	diciamo	diciate	dicano
fare	faccio	faccia	facciamo	facciate	facciano
salire	salgo	salga	saliamo	saliate	salgano
scegliere	scelgo	scelga	scegliamo	scegliate	scelgano
uscire	esco	esca	usciamo	usciate	escano
venire	vengo	venga	veniamo	veniate	vengano
volere	voglio	voglia	vogliamo	vogliate	vogliano
porre	pongo	ponga	poniamo	poniate	pongano
potere	posso	possa	possiamo	possiate	possano
dare	do	dia	diamo	diate	diano
dovere	devo	debba	dobbiamo	dobbiate	debbano
sapere	so	sappia	sappiamo	sappiate	sappiano
stare	sto	stia	stiamo	stiate	stiano

The perfect subjunctive (il congiuntivo passato)

The perfect subjunctive is formed using the auxiliary verbs *essere* or *avere* in the present subjunctive + the past participle of the verb:

- *sia andato/a, siamo andati/e, siate andati/andate, siano andati/andate*
- *abbia parlato, abbiamo parlato, abbiate parlato, abbiano parlato*

The perfect subjunctive refers to a time prior to the present moment indicated in the main clause: *È probabile che Stefano abbia rubato l'idea da "Amore 14"!*

The subjunctive mood and agreement of tenses

If the verb of the main clause is in the **present** tense, the dependant clause expresses:

- via the present subjunctive or the future tense, a time after that of the main clause: *Credo che Giulia chiami/chiamerà Stefano.* (tomorrow, in the future)
- via the present subjunctive, a time that is simultaneous to that of the main clause: *Credo che Giulia chiami Stefano.* (today, in the present)
- via the perfect subjunctive, a time prior to that of the main clause: *Credo che Giulia abbia chiamato Stefano.* (yesterday, in the past)

Uses of the subjunctive (II)

The subjunctive is used after **impersonal verbs** and **structures**:

- *Bisogna che voi torniate presto.*
- *Può darsi che Stefano abbia detto la verità.*
- *Si dice / Dicono che Lisa e Simone si siano lasciati.*
- *Pare/Sembra che siano molto ricchi.*
- *È necessario/importante che io parta subito.*
- *È giusto che questa storia finisca qui.*

- *È meglio che io inviti tutti quanti?*
- *È normale che lei sia ancora arrabbiata?*
- *Non è possibile / È impossibile che conosca tutti!*
- *È ora che lei capisca che ha sbagliato.*
- *Puoi andare al concerto, basta che anche la mamma sia d'accordo.*

Unità 6

The indicative mood and agreement of tenses

If the verb of the main clause is in the **present** tense, the dependant clause expresses:

- via the present or the future tense, a time after that of the main clause: *So che telefoni/telefonerai a Giulia domani.* (tomorrow, in the future)
- via the present tense, a time that is simultaneous to that of the main clause: *So che telefoni spesso a Giulia ultimamente.* (today, in the present)
- via the perfect or imperfect tenses, a time prior to that of the main clause: *So che le hai telefonato ieri / le telefonavi spesso.* (yesterday, in the past)

If the verb of the main clause is in the **past** tense, the dependant clause expresses:

- via the conditional perfect tense, a time after that of the main clause: *Sapevo / Ho saputo che avresti telefonato a Giulia il giorno dopo.*
- via the imperfect tense, a time that is simultaneous to that of the main clause: *Sapevo / Ho saputo che telefonavi spesso a Giulia in quel periodo.*
- via the pluperfect tense, a time prior to that of the main clause: *Sapevo / Ho saputo che avevi telefonato a Giulia il giorno prima.*

Credevo che mi avresti capito...

When NOT to use the subjunctive

The **infinitive**, and not the subjunctive, is used:
- when the subject of both clauses is the same. In this case we use *di* + infinitive: *Sono felice che tu venga in Italia.* (the subject of each clause is different) BUT *Sono felice di venire in Italia.* (the subject is the same throughout).
- after impersonal verbs and expressions that express necessity and when the subject of the dependant clause is not specified. In this case we use the infinitive without *che* or a preposition: *Bisogna / È necessario che tu faccia presto.* BUT *Bisogna / È necessario fare presto.*
- after impersonal expressions created with *è* + adjective or adverb and when the subject of the dependant clause is not specified. In this case we use the infinitive without *che* or a preposition: *È meglio che io parta subito.* BUT *È meglio partire subito.*

Pensiamo di andare in vacanza in Puglia.

The **indicative**, and not the subjunctive, is used:
- after *secondo me, forse, probabilmente*: *Forse non gli piace la nostra compagnia.*
- after *anche se, poiché, dopo che*: *Ha superato gli esami anche se non aveva studiato molto.*

Uses of the subjunctive (III)

chiunque	*Lui litiga con chiunque tifi per un'altra squadra.*
qualsiasi/qualunque	*Chiamami per qualsiasi/qualunque cosa tu abbia bisogno.*
dovunque	*Dovunque tu vada, io verrò con te!*
comunque	*Non devi preoccuparti, comunque vadano le cose.*
nonostante/benché	*Mi ha invitato, nonostante/benché mi abbia appena conosciuto.*
senza che	*Andrò allo stadio, senza che i miei lo sappiano.*
affinché/perché	*Ti dirò tutto, affinché/perché tu capisca.*
prima che	*Dobbiamo entrare in aula prima che suoni la campanella.*
a meno che	*Porterò io fuori il cane, a meno che non cominci a piovere!*

The impersonal form

The impersonal form is used when the action, and not the person carrying out that action, is of interest to us. The structure is:
- (*non*) *si* + verb in the third person singular: *Se non si studia, non si impara.*
- *uno* (*non*) + verb in the third person singular: *Se uno non studia, non impara.*
As we can see, if the sentence has more than one verb, *si* needs to be repeated in front of every verb; however, it is unnecessary to repeat *uno*.

The structure of the impersonal form of reflexive verbs is:
- (*non*) *ci* + *si* + verb in the third person singular: *Ci si diverte molto.*
- *uno* (*non*) + *si* + verb in the third person singular: *Uno si diverte molto.*

In Alto Adige si sta molto bene d'estate.

The impersonal form (with *si*) in the perfect tense uses – always – the auxiliary verb *essere*:
- if the verb would normally conjugate with *avere* the past participle is invariable: *Questa sera si è mangiato troppo.*
- if the verb would normally conjugate with *essere* the past participle needs to be in the plural: *Ieri si è tornati/e tardi.*

If *essere, diventare* or a reflexive verb in the impersonal form are followed by an adjective or by a noun, this will also be in the plural: *Quando si è giovani, si è più ottimisti* (but *Quando uno è giovane, è più ottimista*); *A 18 anni non si diventa automaticamente adulti e responsabili; Nel periodo degli esami ci si sente stressati; In quell'occasione ci si è comportati da persone mature.*

UNITÀ 1

EPISODIO (Read the dialogue on page 13 before watching)

1 Before watching the episode, read the five lines below and try to arrange them in chronological order. Although more than one order is possible, only one is correct!

　　a. Quale, quello con Johnny Depp? Certo!
　　b. Beh, allora possiamo vedere "Rischio finale"!
　　c. Veramente l'ho già visto, ci sono andata con mia cugina...
　　d. A me Johnny Depp piace un sacco, ma non i film d'azione! Per favore, vediamo qualcosa che piace a tutti!
　　e. Qui danno anche il film dall'ultimo libro di Moccia...

2 Watch the episode to see whether you were right.

3 Look at the expressions in blue and decide which of the functions listed is expressed by the conditional tense.

Io i soldi li ho dati, Giulia anche, e Paolo sì... Dovrebbe essere Dino quello che ancora non l'ha fatto.

　　a. dare consigli
　　b. esprimere un'opinione personale
　　c. riportare un'opinione altrui

Esauriti! Lo sapevo che saremmo dovuti venire più presto!

　　a. esprimere un desiderio
　　b. esprimere il futuro nel passato
　　c. dare consigli

INTERVISTE

Watch the interviews and match the sentences to the correct person. Be careful, though: some of the teenagers give the same answers!

a. Vado al cinema una volta alla settimana.
b. Vado al cinema con mia madre o con gli amici.
c. I cinema multisala sono più comodi.
d. Non mi piacciono i film d'azione.
e. Mi piacciono i film horror.
f. Non ho attori preferiti in particolare.

QUIZ

Look at the four possible answers to the second question. With a partner, try to guess what the question could be. When you are ready, watch the quiz to see whether you are right.

UNITÀ 2

EPISODIO (Read the dialogue on page 22 before watching)

1 Before watching the episode, read the sentences below and try to match them to the correct person. Then, watch the episode and check whether you are right.

	1. Ah sì? Perché, dove abiti?	
	2. Già! Quest'anno ho l'esame!	
	3. Ma sì, lo passi sicuramente! E dopo?	
	4. Tu, invece, cosa hai deciso di fare "da grande"?	

2 Which of these professions are mentioned by Giulia and Stefano?

| cameriere | grafico | commessa |
| pittore | musicista | insegnante |

INTERVISTE

Watch the interviews and match the professions listed to the three teenagers on the next page, using their answers to guide you.

| avvocato | impiegato postale | giudice |
| commercialista | impiegato bancario | cuoco |

QUIZ

Before watching the quiz, read the quiz show host's question. With a partner, make up four possible answers (one must be the correct answer). If you want, following the quiz format, try to come up with a witty or unlikely answer! When you have finished, watch the quiz and compare your suggestions to the answers actually present.

La definizione per una persona che non lavora è:

Ⓐ

Ⓑ

Ⓒ

Ⓓ

UNITÀ 3

EPISODIO (Read the dialogue on page 36 before watching)

1 Split into two groups. Group *A* will leave the room while group *B* watches the first 1 minute 25 seconds of the episode. Then, group *B* will leave the room and group *A* will return to watch the rest of the episode. Afterwards, each group will think of 2 or 3 questions to ask the other group in order to piece together all the events from the episode.

2 With a partner, look at the pictures and put them in the correct order. Then, tell the story orally. Finally, watch the whole episode to check whether you were right.

INTERVISTE

Watch the interviews and match the statements below to the correct person.

①

a. Guardo molto la TV, ma non posso fare a meno del computer.

b. Per me il telefono è molto importante.

c. Sono in contatto con molte persone via chat.

d. Internet ha dei rischi.

e. Non ho notato ancora pericoli nel web.

②

QUIZ

Some of the possible answers to the three quiz questions shown are listed below. With a partner, match the options to the appropriate questions. Then, watch the quiz and check whether you are right.

1. su Facebook
2. ...Steve Jobs
3. Davvero?
4. su Youtube
5. Boh!
6. ...ma non era un test d'inglese?!
7. Antonio Meucci
8. Guglielmo Marconi

Prima domanda

A: B: **Su Myspace**

C: D: **...con mia madre!**

Non è possibile chattare:

Seconda domanda

A: B:

C: **Che rabbia!**   D:

L'insegnante ti dice che all'ultimo test d'italiano sei andato benissimo, anche se tu non avevi studiato. Dici:

Terza domanda

A: B:

C: **Leonardo Da Vinci**   D:

È ormai riconosciuto come il vero inventore del telefono:

UNITÀ 4

EPISODIO (Read the dialogue on page 50 before watching)

1 Watch the first 50 seconds of the episode with the sound turned off. Where are the teenagers? What do you think they are talking about? With a partner, make up a short conversation for them, remembering to take their gestures and facial expressions into account.

2 Before watching the episode with the sound turned on, read the following sentences with your partner. They have been taken from the first 50 seconds of the episode, but are out of sequence. Can you put them in the right order? If necessary, watch the relevant part of the episode again without sound.

Quella è la Galleria Vittorio Emanuele, costruita nel 1800, subito dopo c'è Piazza della Scala e il famoso teatro lirico, costruito nel...

Paolo, ma come fai a sapere tutte queste cose?

Beh, non è tanto grande quanto questa, è vero, però dai, è bellissima anche la nostra!

Ragazzi, in confronto a questa, Piazza del Duomo a Firenze non sembra nemmeno una piazza...

Allora, eccoci in Piazza del Duomo. È la piazza più importante della città...

È che presto giocherò nel Milan, quindi devo conoscere bene Milano!

A Stefano...

3 Now watch the whole episode with the sound turned on to check your answers.

INTERVISTE

1 The interviews are about the cities visited by various teenagers. Before watching them, look at the photos. With a partner, try to match the city names provided to the pictures. Be careful, though: there are two names more than you need!

a. Roma   b. Venezia   c. Milano   d. Genova   e. Torino   f. Firenze   g. Aosta

2 Watch the interviews and match each teenager to the cities they have visited. Be careful, though: some of the teenagers have visited the same city!

Roma	■	■
Torino	■	
Milano	■	
Ferrara	■	
Venezia	■	■
Como	■	
Rimini	■	
Trieste	■	
Genova	■	
Verona	■	
Palermo	■	

QUIZ

Watch the whole quiz. Can you remember the four possible answers to the second question given by the quiz show host? Watch the quiz again to check.

Se vogliamo spiegare qualcosa, possiamo dire:

Ⓐ

Ⓑ

Ⓒ Cioè

Ⓓ

Attività video

UNITÀ 5

EPISODIO (Read the dialogue on page 64 before watching)

1 Before watching the episode, match the three pictures to the sentences. Then, watch the episode to check whether you are right and to find out why Giulia is so angry with Stefano when she gets back from Milan.

☐ a. Troppo bello! È la prima volta che non mi annoio in un museo!
☐ b. Però dobbiamo prendere la metro.
☐ c. Giulia, allora, ancora nessuna notizia da Stefano?

2 We came across some forms of the subjunctive in the episode. Do you remember them? With a partner, complete the following lines from the episode.

Sembra che il museo …………… molto interessante, ci sono le macchine di Leonardo Da Vinci!

A questo punto penso proprio che non …………… comunicare con me…

Adesso penso però che non …………… ………………… proprio una buona idea…

INTERVISTE

1 Study the list of Italian writers given below. Write them on the time line in chronological order. Then, watch the interview and tick the writers mentioned.

- Niccolò Machiavelli (1469-1527)
- Ugo Foscolo (1778-1827)
- Luigi Pirandello (1867-1936)
- Gianni Rodari (1920-1980)
- Alessandro Manzoni (1785-1873)
- Dante Alighieri (1265-1321)
- Eugenio Montale (1896-1981)
- Giacomo Leopardi (1798-1837)
- Italo Calvino (1923-1985)

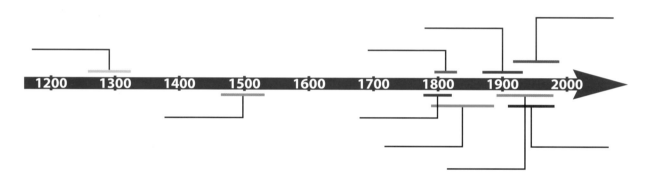

2 Did you notice whether the answers given by the teenagers interviewed were incorrect in some way? Would could they have said when they were asked about the three twentieth century Italian authors?

QUIZ

Look at the four possible answers to the second question. With a partner, try to guess what the question could be. Then, watch the quiz to check.

A: Topolino
B: Dylan Dog
C: Mafalda
D: Batman

UNITÀ 6

EPISODIO (Read the dialogue on page 78 before watching)

1 In this episode Giulia is showing Stefano her photos of the trip to Milan. Match each sentence to the photo it relates to. Then, watch the episode to check your answers.

1. Perché Dino fa segno "tre" con le dita?
2. Paolo era entrato troppo nel suo ruolo di guida turistica.
3. Abbiamo fatto "la piramide di Cheope".
4. Ce l'ha fatta Dino, che c'è che non va?

2 Look at the two expressions in blue and, for each, choose the meaning that fits the context.

① Paolo era entrato troppo nel suo ruolo di guida turistica... Non ne potevamo proprio più!

② Sì, capirai, Paolo non pensa altro che al calcio!

a. Non dovevamo più ascoltarlo.
b. Eravamo stufi di ascoltarlo.

a. Non puoi immaginare!
b. È impossibile!

INTERVISTE

Watch the interviews and match the sentences to the correct person.

a. Mi piaceva una ragazza che aveva i capelli bruni.
b. Piacevo a una ragazza ma a me lei non piaceva.
c. Se mi piace una ragazza, sono gentile con lei.
d. Se mi piace una persona, preferisco prima capire se gli piaccio anch'io.
e. Prima di essere amici, un ragazzo e una ragazza dovrebbero conoscersi bene.
f. Il mio migliore amico non è una ragazza.

QUIZ

Before watching the quiz, read the quiz show host's question. With a partner, make up four possible answers (one must be the correct answer). If you want, following the quiz format, try to come up with a witty or unlikely answer! When you have finished, watch the quiz and compare your suggestions to the answers actually present.

Un compagno chiede il tuo quaderno d'italiano per dare un'occhiata. Rispondi:

Ⓐ

Ⓑ

Ⓒ

Ⓓ

Glossary

The vocabulary, divided into units and sections (*Student's book* and *Workbook*), is listed in alphabetical order.
When the stressed syllable is not the penultimate one, the stressed vowel is indicated with an underscore (for example: *dia-logo*, *farmacia*). The same applies to words with an unclear stress.

	Abbreviazioni	Abbreviations			Abbreviazioni	Abbreviations
avv.	avverbio	adverb		*pl.*	plurale	plural
f.	femminile	feminine		*inf.*	infinito	infinitive
m.	maschile	masculine		*p.p.*	participio passato	past participle
sg.	singolare	singular				

Prima di... cominciare
STUDENT'S BOOK

al mare: to the seaside

anch'io: (me) too

cento: one hundred

Che bella sorpresa!: What a lovely surprise!

Che fortuna!: How lucky!, You lucky thing!

chiedere (*p.p.* chiesto): to ask for

come: as

continuare a: to continue to

da domani: from tomorrow, starting tomorrow

da quando aveva dieci anni: since he/she was ten

di'!: tell

disappunto: disappointment

esprimere (*p.p.* espresso): to express

essere d'accordo: to be in agreement, to agree

fa freddo: it's cold

hai proprio ragione: you're quite right

in montagna: to the mountains

in ritardo: late

in vacanza: on holiday

indicazioni stradali, *le*: directions

l'anno prima: the year before

leggere (*p.p.* letto): to read

litigare: to argue

mettiti la gonna: wear the skirt

non aprire!: don't open

non fare!: don't make

parere, *il*: opinion

perfettamente (*avv.*): perfectly

più (*avv.*): more, any more

proibire: to forbid, to prohibit

scegliere (*p.p.* scelto): to choose

si parlano: they talk to each other

sta' zitto/a!: be quiet!

toglietevi!: take off your …!

veniamo a trovarvi: we'll come to visit you

Unità 1 - Al cinema
STUDENT'S BOOK

a metà: in half

a quanto dicono: based on what I have heard

addormentarsi: to fall asleep

agente segreto, *l'* (*m.*): secret agent

al posto tuo: if I were you

all'antica: old fashioned

all'interno di: inside

allontanare da: to separate from

altrui: someone else's

amaro/a: bitter

anima: soul

anzi: actually

anziano/a: elderly

attaccare: to attack

attacco: attack

attirare: to attract

bastare: to be enough

bellezza: beauty

bellissimo/a: excellent

biglietteria: ticket office

bistecca: steak

botteghino: ticket office, box office

bravissimo/a: really good

Buddha: Buddha

c'è la fila: there's a queue

cambiare idea: to change one's mind

candidato/a al premio Oscar: Oscar nominee

candidato/a: nominated

candidatura: nomination

capeggiato/a: headed, led

cartello pubblicitario: billboard

casalinga: housewife

Caspita!: Wow!

centro commerciale: shopping centre

certo/a: certain

che ne dici?: what do you reckon?

chitarrista, *il/la*: guitarist

cinematografico/a: film (*adj.*)

collaborando (*inf.* collaborare): working

collaborare: to collaborate, to work with

comico/a: comic (*adj.*)

commedia: comedy (noun)

compiere 18 anni: to turn 18

compositore, *il* (*f.* la compositrice): composer

compreso/a: including

concludersi (*p.p.* concluso): to conclude, to end

concorrenza: competition

condizionale composto: conditional perfect tense

condizionale semplice: conditional tense

conservatorio: music school

contributo: contribution

da parte di: by

decidere di (*p.p.* deciso): to decide to

dedicato/a: dedicated

desiderio: desire

destra, *la*: right

di fronte a: opposite

di oltre: of over

diviso/a: divided

è da una settimana: it's been a week

esaurito/a: sold out

estivo/a: summer (*adj.*)

fare del male: to hurt

fare il biglietto: to buy a ticket

felicità, *la*: happiness

film d'amore: 'chick flick'

film d'animazione: animated film

film d'avventura: adventure film

film di fantascienza: science fiction film

film poliziesco: detective story

finora (*avv.*): to date, up to now

genere, *il*: genre, category

giovanile: youth (*adj.*)

"girare" una scena: to 'shoot' a scene

ideologia: ideology

imperatore, *l'* (*m.*; *f.* l'imperatrice): emperor

in 3D: in 3D

in breve: briefly

in città: in the city

in fretta: quickly

in maniera: in a manner

in modo: in a manner

in tutto: in total

influenzare: to influence

innamorarsi di: to fall in love with

insegnando (*inf.* insegnare): teaching

interessare a: to be of interest to

interpretazione, *l'* (*f.*): performance

interprete, *l'* (*m./f.*): actor, actress

ironia: irony

lascia perdere!: forget it!

lasciamo perdere: let's forget that idea

leader, *il/la*: leader

locandina: poster

lusso: luxury

macché: that's not it

macchina da presa: film camera

maleducato/a: rude

Mediterraneo: Mediterranean

meglio da solo/a: it's better to be alone

metà, *la*: half

mettere da parte: to save, to put away

mettere in carcere: to put in prison

mettersi (*p.p.* messo): to put on, to wear

mi presteresti: would you lend me

mi sa che...: I think that...

minimo: a small number, minimum

mondiale: world (*adj.*)

multisala: multi-screen cinema

neanche: not even

Neorealismo: Neorealism

nominare: to hear of

non ho ben capito: I didn't quite hear

non male!: Not bad!

nonostante: despite

notare: to notice

opinione, *l'* (*f.*): opinion

ora che ci penso: now that I think about it

paese, *il*: village

parecchio/a: several, a lot

pazienza!: never mind!

pensiero: thought

per caso: by chance

perdere (*p.p.* perso): to miss

pieno/a di: full of

piuttosto: more to the point

produttore, *il* (*f.* la produttrice*): producer

proprio/a: own

pure: also, too

qualcosa di diverso: something different

qualcosa di simile: something similar

quanto più professionale possibile: that is as professional as possible

rappresentativo/a: typical, representative

realizzato/a: fulfilled

realizzazione, *la*: achievement

recitare: to act

regia: direction

regista, *il/la*: director

relativo/a a: to do with

ricerca: search

riflettore, *il*: spotlight

riportare: to relay

rompere (*p.p.* rotto): to break away

ruolo: role

sala cinematografica: film auditorium

sala: auditorium

sangue, *il*: blood

sbagliato/a: wrong

sbrigarsi: to hurry up

scenografia: (film) set

"sfigato/a": nerd

si basa su...: it's based on

simpatizzare per: to sympathise with

sinistra, *la*: left

snob, *lo/la*: snob

società, *la* (*pl.* le società): society

sparire: to disappear

spendere (*p.p.* speso): to spend

stanco/a: tired

stavolta (*avv.*): this time

stazione spaziale, *la*: space station

stivali, *gli* (*sg.* lo stivale): boots

straordinario/a: extraordinary

superamento: passing (noun)

superiori, *le*: high school

svogliato/a: lazy

tantissimo (*avv.*): very much

teenager, *il/la*: teenager

terza media: third year of middle school

thriller, *il*: thriller

ti va di...?: do you feel like...?

tirarsi indietro: to back out

toscano/a: Tuscan

trafficante di droga, *il/la*: drug trafficker

trama: plot

trasferimento: transfer

trasferirsi: to move (home)

una cosa del genere: something like that

vedere (*p.p.* visto): to see

venire a contatto: to come into contact

venire a sapere: to find out

vi piacerebbe: would you like

vincere (*p.p.* vinto): to win

violento/a: violent

violenza: violence

visto/a: seen

vita: life

volto: face

WORKBOOK

adorare: to adore

andare a letto: to go to bed

andare in bagno: to go to the bathroom

associare: to link

beneficenza: charity

causa: campaign

chiacchierare: to chat

classi virtuali, *le*: virtual classes / classrooms

contare: to matter

contro: against

dare una mano: to lend a hand

divisa: uniform (noun)

donare: to donate

fare gite: to go on trips

fare nel futuro: to do in the future

fare pratica: to practice

film romantico: romantic film

film umoristico: funny film

filmare: to film

generoso/a: generous

gioco di società: indoor game

incasso: takings

indossare: to wear

influenza: influence

lavoretto: little job

mortalità infantile, *la*: infant mortality

organizzazione, *l'* (*f.*): organisation

povero/a: poor

problemi di cuore, *i*: relationship problems

riavviare: to restart

risolvere (*p.p.* risolto): to solve

sbagliarsi: to be wrong

scolastico/a: school (*adj.*)

scuola ideale: ideal school

sensibilizzare: to raise awareness

sentito/a: felt

soldi, *i*: money

sperare: to hope

spontaneo/a: spontaneous

stressarsi: to get stressed

tecnico/a: technical

utilizzare: to use

voti: results

UNITÀ 2 – Amore e lavoro
STUDENT'S BOOK

a me fa schifo: it disgusts me

abbandonare: to give up, to abandon

Glossary

abbreviazione, l' (f.): abbreviation

ad essere sincero: to be honest

al trucco: in makeup

all'estero: abroad

all'improvviso: suddenly

alla fine di: at the end of

andare addosso: to bump into

angolo: corner

annunci, gli (sg. l'annuncio): adverts

(Facoltà di) Architettura: (Faculty/School of) Architecture

arrabbiarsi: to get angry

assicurare: to assure

assistente legale, l' (m./f.): legal assistant

assolutamente (avv.): absolutely

attaccare discorso: to start up a conversation

avvocato: lawyer

barista, il/la: barman/barwoman

benessere, il: well-being

biologo/a: biologist

calma: calm down

calpestare: to tread on

cambiamento climatico: climate change

cameriere, il (f. la cameriera): waiter (waitress)

camerino: dressing room

cancellare: to delete

ce l'ho fatta (inf. farcela): I did it

Censis (Centro Studi Investimenti Sociali): Centre for Social Studies and Policies

chirurgo: surgeon

colloquio di lavoro: job interview

come fai a...: how do you...

commesso/a: sales assistant

comparire (p.p. comparso): to appear

conduttrice, la (m. il conduttore): presenter

confondere (p.p. confuso): to confuse

conoscenze, le: knowledge

consulente, il/la: consultant, advisor

copia: copy

cornice, la: picture frame

corpo umano: human body

corso della vita: 'course of life'

creatore, il: creator, maker

cuoco: chef

CV: Curriculum vitae (et studiorum): C.V.

Dai!: Come on!

dammi un secondo: give me a moment

dare fastidio: to bother, to irritate

dare un'occhiata: to have a quick look

di niente: you're welcome

disoccupato/a: unemployed

disoccupazione, la: unemployment

distratto/a: distracted

dritto (avv.): straight

è andata bene: it turned out alright

ecco fatto: all done

(Facoltà di) Economia e commercio: (Faculty/School of) Business and Economics

edificio: building

elettricista, l' (m.): electrician

emigrare: to emigrate

emigrazione, l' (f.): emigration

esperto/a di: knowledgeable about

eventualmente (avv.): perhaps

facoltà, le (sg. la facoltà): faculties

Facoltà di Lettere (e filosofia), la: Faculty (or School) of Humanities

far vedere: to show

(Facoltà di) Farmacia: (Faculty/School of) Pharmacy

faticoso/a: tiring

Figurati!: No problem! Don't mention it! (informal)

fissare: to stare

fumare: to smoke

fumo: smoke

giornalista, il/la: journalist

(Facoltà di) Giurisprudenza: (Faculty/ School of) Law

governo: government

grafico: graphic designer

guida turistica: tour guide

i pro e i contro: the advantages and disadvantages

(essere) in diretta: (to be) live (on air)

industriale: industrial

ingegnere, l' (m./f.): engineer

(Facoltà di) Ingegneria: (Faculty/School of) Engineering

innamorato/a di: in love with

inoltre (avv.): additionally

latino: Latin

laurea: degree

laurearsi: to graduate (from university)

lavorativo/a: work (adj.)

licenziare: to sack

(Facoltà di) Lingue (e letterature straniere): (Faculty/ School of) Foreign Languages and Literature

ma va': give over, leave it out

maestri elementari, i: primary school teachers

magari (avv.): perhaps

malato/a: sick person

Mannaggia!: Damn!

manuale: manual

matematico: mathematician

(Facoltà di) Medicina: (Faculty/School of) Medicine

medico: doctor

mi scuso di: I apologise for

migliore: best

monitor, il: monitor

nel frattempo: meanwhile

Non fa niente!: It doesn't matter

non importa...: It doesn't matter

non mi prendere in giro: don't make fun of me, don't tease me

non vedente: blind

odiare: to hate

(Facoltà di) Odontoiatria: (Faculty/School of) Dentistry

offerta: offer

operaio/a: labourer

ottenere: to attain, to achieve

parlando (inf. parlare): saying, mentioning

(Facoltà di) Pedagogia: Teacher training (college)

per errore: by mistake, due to an error

per sbaglio: by mistake

perché, il: (the reason) why

percorso: path

pilota, il/la: pilot

pittore, il (f. la pittrice): painter

Politecnico: Polytechnic

Prego!: No problem! Don't mention it!

presentarsi: to turn up

presso: at

professione, la: profession

professionista, il/la: professional (person)

programmatore informatico, il: computer programmer

pronomi combinati, i: combined pronouns

proporsi (p.p. proposto): to put oneself forward

provenire (p.p. provenuto): to derive from

(Facoltà di) Psicologia: (Faculty/School of) Psychology

punto debole, il: weakness

reception, la: reception

restituire: to give back, to pay back

rientrare: to go back in

scambiato/a per: mistaken for

sconosciuto/a: stranger

Scusa!: Sorry! (informal)

scusa, la: excuse

scusarsi: to apologise

scuse, le: apologies

Scusi!: Sorry! (formal)

segretario/a: secretary

Si figuri!: No problem! Don't mention it! (formal)

si può fare: it's possible, it can be done

si sente?: Is it loud enough to hear?

si trovano: are found

siccome: since

simile: similar

smettere (*p.p.* smesso): to stop, to give up

spaziale: space (*adj.*)

specialista, *lo/la*: specialist

stage, *lo*: work experience

star, *la*: celeb

stare calmo/a: to stay calm

storico, *lo*: historian

studi, *gli*: (my) studies

telecamera: television camera

tenore, *il*: tenor

terza età: the over 60s

tiramisù, *il*: tiramisu dessert

tirocinio: apprenticeship, training placement

titolo di studio: qualification

tramite (*avv.*): via

truccatore, *il* (*f.* la truccatrice): makeup artist

unirsi: to join

universitario/a: university (*adj.*)

vado matto/a per: I'm mad about

veneziano/a: Venetian

veterinario/a: veterinary surgeon

vicinissimo/a: very near

virtuale: virtual

WORKBOOK

a proposito di: talking of

altrimenti (*avv.*): otherwise

aperto/a di cuore: open-hearted

appunti, *gli*: notes

ben pagato/a: well-paid

ben retribuito/a: well-paid

bilanciare: to balance

cameriera: waitress

caramella: sweet (noun)

Come mai?: How come?

condividere (*p.p.* condiviso): to share

cultura: culture

divertente: fun (*adj.*)

egoista: selfish

fare comodo: to be useful

flessibile: flexible

guadagnare: to earn

individualista: individualist

insegnante di lingue, *l'* (*m./f.*): language teacher

maestro/a: teacher

materie scientifiche, *le*: the sciences

(Facoltà di) Medicina e Chirurgia: (Faculty/School of) Medicine

mica (*avv.*): no way

notifiche, *le*: notifications

organizzato/a: organised

pantofole, *le*: slippers

Perché mai?: Why (on earth)?

Perché no?: Why not?

preciso/a: accurate

promettere (*p.p.* promesso): to promise

psicologo/a: psychologist

qualcuno/a: someone

scaricare: to download

Scordatelo!: Forget it!

senza che: without

studioso/a: studious

un paio di: a pair of

un sacco di tempo: ages, a long time

via: via, by means of

UNITÀ 3 – *Vivere on line*
STUDENT'S BOOK

a quanto pare: it would seem

ad alta risoluzione: with a high resolution

affidare: to entrust

agenzia: agency, office

aggiornare: to update

altrettanto/a: equal

alzare: to turn up (volume)

ambizioso/a: ambitious

andare avanti: to go on, to continue

andare in black-out: to go dead

andare peggio: to be worse

arricchimento: enrichment, content

avere fiducia in: to trust

avvicinare: to bring closer together

batteria: battery

c'è una storia qui: there's something going on here

cammello: camel

canale, *il*: channel

caratterizzato/a: characterised

cavarsela: to get by

cavo: cable

Chi l'avrebbe mai detto!: Who would have thought it!

chiamato/a: called

chissà: who knows

collaborativo/a: collaborative

collegamento: link, match

collegato/a: connected

coloro che: those who

compagnia: group, social circle

computer portatile, *il*: laptop

comunicazione, *la*: communication

con i suoi: with his parents

concetto: concept

concorrente: competing, in competition

connessione, *la*: connection

consultare: to ask for advice

contrasto: contrast

contribuire: to contribute

costretto/a: forced

creato/a da: created by

cresciuto/a: raised (child)

cyberbullismo: cyber bullying

da poco: recently

Davvero?! (*avv.*): Really?!

decidere (*p.p.* deciso): to decide

digitale: digital

digitando (*inf.* digitare): typing

dire in giro: to tell everyone

discutere (*p.p.* discusso): to debate

disponibile: available

enciclopedia: encyclopaedia

entrando (*inf.* entrare): entering

eppure: and yet

equilibrio: balance

esagerare: to overdo, to go too far

essere a rischio: to be at risk

fare a meno: to do without

fiero/a: proud

fondato/a da: founded

fondatore, *il* (*f.* la fondatrice): founder

gratuito/a: free

guarda che: clearly, you know that

hai fatto di testa tua: you did it your own way

il giorno prima: the day before

Impossibile!: Impossible!

impresa: business

in alternativa: alternatively

in centro: in town

in giallo: in yellow

in media: on average

in nero: in black

Incredibile!: Goodness!

incredulità, *l'* (*f.*): disbelief

indagine, *l'* (*f.*): survey

infinito/a: infinite

innovazione, *l'* (*f.*): innovation

insistere (*p.p.* insistito): to persist

interamente (*avv.*): entirely

introdurre (*p.p.* introdotto): to introduce

inviato/a: sent

istituzione, *l'* (*f.*): institution

l'altro ieri: the day before yesterday

lavorando (*inf.* lavorare): working

le voglio molto bene: I care about her a lot

lettore mp3, *il*: MP3 player

lettura: reading

macchina da scrivere: typewriter

magari!: I wish!

maggiore: greatest, biggest

mantenere: to maintain

Glossary

matto/a: mad

me ne sono andato/a (*inf.* andarsene): I left

mentire: to lie

metà e metà: half and half

milanese: Milanese, from Milan

Ministero della Difesa, *il*: Ministry of Defence

modernità, *la*: modernity

motore di ricerca, *il*: search engine

nato/a: born

nello stesso tempo: at the same time

Non ci credo!: I don't believe it!

Non è vero!: Can't be!

Non me lo dire!: Get out of here!

non provare alcun interesse: to have no interest

oceano: ocean

oggetto: object

ostacolare: to hinder

perdersi (*p.p.* perso): to get lost

piano piano: gradually

Possibile?!: Really?!, Seriously?!

postare: to post

praticamente (*avv.*): practically

premere: to press

preoccupante: worrying

promettere di (*p.p.* promesso): to promise to

pronomi relativi, *i*: relative pronouns

qualcosa di peggio: something worse

qualcosa non andava: something wasn't right

quantità, *la*: quantity

quello che: that which

ragazzino/a: boy

rapinatore, *il*: robber

raramente (*avv.*): rarely

relazioni umane, *le*: human relations

reti sociali, *le*: social networks

riferire: to pass on

rilassarsi: to relax

rimanere (*p.p.* rimasto): to stay

rinunciare: to give up

rivelare: to reveal

rivoluzionare. to revolutionise

rivoluzione, *la*: revolution

rotto/a: broken

ruscello: stream

saltare un pasto: to skip a meal

sapeva tutto su di me: he knew everything about me

scattare: to take (a photo)

Scherzi?!: You're joking?!

scientifico/a: scientific

scoprire (*p.p.* scoperto): to discover

scrivendo (*inf.* scrivere; *p.p.* scritto): writing

secondario/a: secondary

segreto: secret

sequenza: sequence

serio/a: serious

servizi pubblici, *i*: public services

sfruttando (*inf.* sfruttare): making use of

solito/a: usual

sonno: sleep

spazio: page, space

specifico/a: specific

statistica: statistics

statistico/a: statistical

stilare: to put together

stupidaggine, *la*: stupid thing

suddividere (*p.p.* suddiviso): to split, to divide

suoneria: ringtone

svantaggio: disadvantage

tappa: milestone, stage

tardare: to be delayed

tecnologico/a: technological

tempio, *il* (*pl.* i templi): temple

ti capita (*inf.* capitare): do you find yourself

ti prende in giro: he's leading you on

tonnellata: tonne

trascinare: to drag

trascorrere (*p.p.* trascorso): to spend (time)

trascurare: to neglect

tutti quelli che: all those who

utente, *l'* (*m.*): user

vantaggio: advantage

vergognarsi: to be ashamed

vicenda: incident

vita reale: real life

WORKBOOK

a distanza: from a distance

a portata di mano: at one's fingertips, within easy reach

accade (*inf.* accadere): it happens

alloggiare: to house, to accommodate

alzare il volume: to turn up the volume

anniversario: anniversary

apprendere (*p.p.* appreso): to learn

Auguri!: Congratulations!

aumentare: to increase

Basta!: Enough!

bloccare: to block

comodino: bedside table

compagnia: company, firm

condurre una vita (sedentaria): to conduct a (sedentary) life

contattare: to contact

contatto: contact

crociera: cruise

di anno in anno: year by year

diffusione, *la*: spread

familiari, *i* (*sg.* il familiare): family members

fare da sé: to do things for oneself

fare propaganda politica: to express political views

fare pubblicità commerciale, *la*: to advertise

fare tardi: to get late

fenomenale: great, excellent

fermarsi: to stop

girare un video: to make a video

informatico/a: IT (*adj.*)

intervistato/a: interviewed

laboratorio: laboratory

lavagna interattiva: interactive whiteboard

lavori domestici, *i*: housework

linguistico/a: language (*adj.*)

magnifico/a: magnificent

moderazione, *la*: moderation

nativi digitali, *i*: digital generation

neologismo: neologism

Per niente!: Not at all!

pigliare: to catch

pittrice, *la* (*m.* il pittore): painter

ponte, *il*: bridge

potentissimo/a: very powerful

prenotare: to book

pubblicare: to put (publish) online

rapporti sociali, *i*: social contact

relazioni umane, *le*: human relations

rendere (*p.p.* reso): to make, to render

restare in contatto: to stay in touch

rete sociale, *la*: social network

richiesta d'amicizia: friend request

risalire a: to date back to

ritrovarsi: to find each other

salutare: healthy

Salute!: Cheers!

sano/a: safe

scattare una foto: to take a photo

sedentario/a: sedentary

suonata la campanella: Once the end of school bell goes

t'amo: I love you

tasca: pocket

valere (*p.p.* valso): to be worth

UNITÀ 4 – In Italia
STUDENT'S BOOK

a piedi: on foot
abitante, l' (m./f.): inhabitant
accogliente: welcoming
accorgersi (p.p. accorto): to notice
Adriatico: Adriatic Sea
affari, gli: business
agitato/a: rough
Alpi, le: the Alps
ambito: area
antichità, l' (f.): antiquity
antico/a: old, ancient
appendere (p.p. appeso): to pin up
appunto (avv.): precisely
artistico/a: artistic
attraente: attractive
autorevole: respected
Basilica di San Pietro, la: St. Peter's Basilica
Belpaese, il: Italy
brochure pubblicitaria, la: holiday brochure
budget, il: budget
c'è il sole: it is sunny
c'è vento: it is windy
calmo/a: calm
campanile, il: bell tower
canale, il: canal
caotico/a: chaotic
capitale, la: capital
castello: castle
Che tempo fa?: What's the weather like?
citato/a: mentioned
classifica: classification, ranking
classificato/a: in the ranking
colto/a: cultured
combattere: to battle
comparazione, la: comparison
comportamento: behaviour
confronto: comparison
continuamente (avv.): continuously
contraddire (p.p. contraddetto): to disagree, to contradict
coperto/a: overcast

Cosa ti ha preso?: What's got into you?
costruito/a: built
d.C. (dopo Cristo): AD (Anno Domini)
debole: weak
deluso/a: disappointed
denaro: money
dettagliato/a: detailed
di giorno in giorno: day by day
dolcissimo/a: very sweet
efficiente: efficient
Etna: Mount Etna
faccia: face
fare spese: to go shopping
fin dall'inizio: right from the start
fiume, il: river
fontana: fountain
forte: strong
frenetico/a: frenetic
frequenza: frequency
fretta: hurry
furto d'auto: car theft
godersi: to enjoy
golfo: gulf
gradi, i: degrees
graduatoria: ranking
grandissimo/a: very big, huge
in aumento: increasing
in barca: by boat
in cima: at the top
in diminuzione: decreasing
in futuro: in the future
inquinamento: pollution
intorno (avv.): around
invidia: envy, jealousy
lasciamo stare: let's leave it
metropoli, la (pl. le metropoli): metropolis
microcriminalità, la: low level crime
migliorare: to improve
miniatura: miniature
moderato/a: moderate
mosso/a: rough
natalità, la (f.): birth-rate
nebbia: fog
necessario/a: necessary

neve, la: snow
nevica (inf. nevicare): it is snowing
non l'ha presa bene: it didn't go down well (with him)
nuvoloso/a: cloudy
ordine pubblico, l': law and order
osservare: to watch, to observe
ovviamente (avv.): obviously
Palazzo Ducale, il: Doge's Palace
paragone, il: comparison
parametro: criterion
parco di divertimento: amusement park
peggiore: worse
pettegolo/a: gossipmonger
pigro/a: lazy
pioggia: rain
piove (inf. piovere): it is raining
piovoso/a: rainy
precisare: to clarify
premiato/a: prize-winning, at the top of the ranking
prendere il sole: to sunbathe
prevedendo (inf. prevedere; p.p. previsto): estimating
prima di tutto: firstly
pro capite: per capita
provincia: province
quotidiano economico, il: financial newspaper
rapina: robbery
reddito: income
rendere (p.p. reso): to make
ricchezza: wealth
richiedere (p.p. richiesto): to require
riguadagnare: to claw back
ripresa: increase
rivincita: victory
se è per quello: on that score, for that matter
sereno/a: clear (skies)
servizi, i: services
si nota: one observes
Sicilia: Sicily

sospiri, i: sighs
spiaggia: beach
spiegazione, la: explanation
splendere: to shine
spostamento: journey
stabile: stable
stabilire: establish
sullo sfondo: in the background
superiore: superior, higher
superlativo assoluto: absolute superlative
superlativo relativo: relative superlative
temperature, le: temperatures
temporale, il: storm
tenere conto di: to take into account
tira vento: it is windy
Tirreno: Tyrrhenian Sea
Torre pendente, la: Leaning Tower
trascorrere (p.p. trascorso): to spend (time)
turistico/a: touristy
vacanze estive, le: summer holidays
variabile: changeable
vario/a: various
vento: wind
Vesuvio: Mount Vesuvius
visitatore, il (f. la visitatrice): visitor
visto che: seeing that
vivace: lively
vivibile: liveable, with a good quality of life

WORKBOOK

a tempo pieno: full time
affascinante: charming
altezza: height
Atene: Athens
avverbio: adverb
bassissimo/a: very low
bene (avv.): well
carnevale, il: carnival
Che confusione!: You've got that confused!
complicato/a: complicated
comune, il: council district

Glossary

cosmopolita: cosmopolitan
costoso/a: expensive
curioso/a: inquisitive
danno: damage
evento: event
facilissimo/a: very easy
fino a: to
fondato/a: founded
francese: French
galleria: mall, shopping centre
globalizzarsi: to globalise
goloso/a: greedy
imboccatura: entrance
influenza: flu
Ma quale...: What...
maggioranza: majority (more)
male (*avv.*): badly
mediano/a: middle (*adj.*)
minoranza: minority (less)
modernizzarsi: to modernise
Neanche per sogno!: In your dreams!
nel senso che: in that
Niente affatto!: Quite the opposite!
nota: note
peggio (*avv.*): worse
piccolissimo/a: very small
popolato/a: populated
residente, *il/la*: resident
restringersi (*p.p.* restretto): to narrow
senza dubbio: without doubt
spiegarsi: to explain (oneself)
spreco: waste
stato: state
stipendio: salary
teatro lirico: lyric theatre
tecnofilo/a: technophile
terminare: to end
terrazza: terrace
Trinità dei Monti: Holy Trinity on Pincian Hill
tropicale: tropical
uguaglianza: parity
ultramoderno/a: ultra-modern

viaggiatrice, *la* (*m.* il viaggiatore): traveller
vicolo: alleyway
volontà, *la*: wish

UNITÀ 5 – *Leggere* STUDENT'S BOOK

a meno che: unless
a metà film: half way through the film
a proposito: by the way
accontentarsi di: to make do with
affrontare: to face
al ritorno a casa: on returning home
all'ultimo momento: at the last minute
ammettere (*p.p.* ammesso): to admit
andarsene: to go away, to leave
annoiarsi: to get bored
anti-eroe, *l'* (*m.*): anti-hero
appoggiare: to put down
archeologia: archaeology
assurdo/a: strange, implausible
Atlantide: Atlantis
attesa: expectation
augurio: wish
aumento: increase
autore, *l'* (*m.; f.* l'autrice): author
baciarsi: to kiss
banco: counter
battaglia: battle
ben tornato/a: welcome back
bibliotecario/a: librarian
biologo/a: biologist
bisogna che (*inf.* bisognare): it is necessary that
bullo: bully
cagnolino: little dog
capitolo: chapter
cartoni animati, *i*: cartoons
ce la fai (*inf.* farcela): (you) can make it
Chi si vede!: Well, look who's here!
cinquanta: fifty

comunque: anyway
concordanza dei tempi: agreement of tenses
confuso/a: confused
congiuntivo passato: perfect subjunctive
congiuntivo presente: present subjunctive
convincere (*p.p.* convinto): to convince
copertina: cover
Cosa ti prende?: What's come over you?
costante: constant
costruzione, *la*: construction
creato/a: created
criminale, *il/la*: criminal
debole: weak
detective, *il/la*: detective
di ogni tipo: of every kind
dimenticarsi di: to forget
dimostrare: to demonstrate
dimostrarsi: to turn out to be
disegnatore, *il* (*f.* la disegnatrice): illustrator, cartoonist
disturbi alimentari, *i*: eating disorder
dubitare: to doubt
duecento: two hundred
enigma, *l'* (*m.*): enigma
eroe, *l'* (*m.*): hero
esigente: demanding
euro: Euro
fantascienza: science fiction
fantasy: fantasy
fare la corte: to court, to ask out
finita la scuola: having left school
folla: crowd
furbo/a: clever, shrewd
gialli, *i*: murder mysteries, 'whodunits'
gioielli, *i*: jewellery
giustificarsi: to justify oneself
gridare: to shout
ha molto da darti: has a lot to give you
horror: horror
impossibile, *l'* (*m.*): the impossible

in arrivo: imminent
in mezzo a: among
in passato: in the past
incertezza: uncertainty
incubo: nightmare
indagare: to investigate
indagatore, *l'* (*m.; f.* l'indagatrice): investigator
indiani, *gli*: Indians
indimenticabile: unforgettable
infatti: in fact
ingiustizia: injustice
interruzione, *l'* (*f.*): interruption, break
invincibile: invincible
ispirare: to inspire
ISTAT (Istituto Nazionale di Statistica): Italy's Office for National Statistics
ladro: thief
letteratura: literature
lettore, *il* (*f.* la lettrice): reader
libraio/a: book seller
libri a fumetti: comic books
liceo linguistico, *il*: high school / secondary school specialising in languages
lontananza: distance
Madagascar: Madagascar
marinaio: sailor
meno di un tempo: less than in the past
mi auguro che (*inf.* augurarsi): I hope
mi fa piacere che: I'm pleased that
mi manchi: I miss you
misterioso/a: mysterious
mistero: mystery
mostro: monster
noir: noir
non è la fine del mondo: it's not the end of the world
obbligare: to force
occhi chiari, *gli*: light-coloured eyes
ostacolo: obstacle
paradiso: paradise
paragrafo: paragraph
pare che (*inf.* parere; *p.p.* parso): it appears

paura: fear
pentirsi: to change one's mind, to regret
pericolo: danger
più volte: more times
poesia: poetry
popolarissimo/a: very popular
prendere in giro: to lead on
prendere sul serio: to take seriously
provare a: to try to
pubblicato/a: published
pubblicazione, *la*: publication
può darsi: perhaps
racconti, *i*: stories
rappresentare: to represent
recensione, *la*: review
reparto: department, section
rimanere male: to be hurt
risolto/a: solved
ritrovare: to find
romanzi, *i*: novels
rovinare: to ruin
rubare: to steal
salire: to climb
salvarsi: to save oneself
sapere a memoria: to know off by heart
sceneggiatura: screenplay
scopo: objective, purpose
scrittore, *lo* (f. la scrittrice): writer
se n'è andato/a (*inf.* andarsene): he/she went off
sembra che (*inf.* sembrare): it seems
semplicemente (*avv.*): simply
sfuggire: to escape
sguardo di ghiaccio: icy stare
si vede: it's obvious
smettere di (*p.p.* smesso): to stop
Smettila!: Stop it!
soggettivo/a: subjective
sorridere (*p.p.* sorriso): to smile
sospettare: to suspect
sparire: to disappear

spedizione, *la*: expedition
speranza: hope
stato d'animo: state of mind
stereo: stereo
'sto (questo): this
temere: to fear
tipografo/a: printer
tradotto/a: translated
tutto qui: that's all there is to it
UFO, *gli* (*sg.* l'UFO): UFOs
umoristico: comedy
va be': ok
vestito/a di nero: dressed in black
villaggio: village
vivacissimo/a: very lively
vivo/a: alive

WORKBOOK

arrivare al punto: to get to the point
banale: ordinary
cappuccio: hood
casa editrice, *la*: publishing house
collana: series
credere: to believe
dovere, *il*: duty
entrambi: both
felpa: sweatshirt
fuori moda: unfashionable
fuori posto: out of place
fuori tempo: out of step
gelosia: jealousy
giornale, *il*: newspaper
impegnarsi: to apply oneself
infastidito/a: annoyed
ispirazione, *l'* (*f.*): inspiration
magari (*avv.*): perhaps
nascere (*p.p.* nato): to be born
nascondere (*p.p.* nascosto): to hide
non vedo l'ora: I can't wait
onesto/a: honest
Orazio: Horace
perdonare: to forgive
pescatore, *il*: fisherman
piacere, *il*: pleasure
precedente: previous

prima che: before
resistere (*p.p.* resistito): to withstand
richiamare: to call back
rilassante: relaxing
secchione/a: swot
sforzo: effort
stimolo: something stimulating
tascabile: paperback
un pesce fuori dalla sua acqua: a fish out of water
unico/a: unique

UNITÀ 6 – Chiarimenti
STUDENT'S BOOK

a cavallo: on horseback
a lume di candela: by candlelight
affinché: so that
al mio posto: if you were me, in my place
altro che: You can forget...
amore, *l'* (*m.*): love
anche se: even though
andare fortissimo: to be very popular
anonimo/a: anonymous
auto ibrida, *l'* (*f.*): hybrid car
battesimo: baptism
Beato/a te!: Lucky you!
benché: even though
bigliettino: card
bugiardo/a: liar
Buona estate!: Have a good summer!
buono/a: good, tasty
celebrare: to celebrate
centrale: central
Chi se ne importa: who cares
chiarimento: clarification
chiarire: to clarify, to clear things up
ci è voluto un po': it took a while
ci tengo a te: You're important to me
collega di lavoro, *il/la* (*pl.* i colleghi / le colleghe): work colleague
concludere (*p.p.* concluso): to finish, to conclude

confondersi (*p.p.* confuso): to get confused
culto: worship
cultura anglosassone: Anglo Saxon culture
da un paio di mesi: for a couple of months
decine, *le*: dozens
decorato/a: decorated
derivare: to derive
destino: fate
di persona: personally, face-to-face
dono: gift
dopo che: after
essere di gran moda: to be very fashionable
facendo (*inf.* fare; *p.p.* fatto): making
faceva per te: was right for you
fama: reputation
fammi finire: let me finish
far cambiare idea: to make someone change their mind
farfalle, *le*: *farfalle*, butterflies
favore, *il*: favour
ferire: to hurt
fertilità, *la*: fertility
fettuccine, *le*: *fettuccine*, noodles
fin dal primo momento: from the first moment
forma impersonale, *la*: impersonal form
gesticolare: to gesticulate, to gesture
gesto: gesture
Giappone, *il*: Japan
identità, *l'* (*f.*): identity
imprenditore, *l'* (*m.*) (f. l'imprenditrice): entrepreneur, business man
impulso: push, impetus
in bici: on a bike, by bike
In bocca al lupo!: Good luck!
in estate: in summer, over the summer
in tutto il mondo: all over the world
influenzato/a: influenced
legato/a: linked
liquirizia: liquorice

Glossary

lupercalia: the Roman festival of Lupercalia

mandare a quel paese: to tell someone to get lost

manifestazione, *la*: event

martire cristiano, *il*: Christian martyr

massimo/a: maximum

mensa: canteen

meritare: to deserve

mettere fine a: to put an end to

mettiti nei miei panni: put yourself in my shoes

miracolo: miracle

Non me ne importa (proprio) niente: I don't give a damn

nonostante: despite

Occidente, *l'* (*m.*): the West

ottenere: to attain

Ottocento: nineteenth century

ovunque (*avv.*): everywhere

parecchio (*avv.*): a lot

patrono/a: patron

perché: so that

perdere il filo: to lose the thread

permettere (*p.p.* permesso): to allow, to permit

piccioncini, *i*: love birds

piccione, *il*: pigeon

poco fa: a little while ago

poiché: since

precisamente (*avv.*): specifically

protettore, *il* (*f.* la protettrice): protector

rendersi conto: to realise

ricambiare: to reciprocate

riconciliare: to make up, to reconcile

ridare: to give again

riferito/a a: used to refer to

riflettere: to think things over

riguardare: to concern

rito: custom

rompere (*p.p.* rotto): to break up

San Valentino: St. Valentine

santo/a: saint

Sardegna: Sardinia

scatola: box

scemo/a: idiot

scooter, *lo*: scooter

sentimento: sentiment, feeling

sostenere: to maintain, to claim

Stati Uniti, *gli*: the United States

statunitense: from the United States

su scala industriale: on an industrial scale

superiore, *il*: boss

te la sei presa (*inf.* prendersela): you got annoyed/upset

te ne sei andato/a (*inf.* andarsene): you went off

ti voglio bene (TVB): I love you

tollerare: to tolerate

Usa, *gli*: the USA

va bene: ok, alright

vescovo: bishop

visualizzato/a: viewed

vivere (*p.p.* vissuto): to live

volare: to fly

WORKBOOK

(azione) anteriore: (action) that takes place before

anziché: rather than

autonomia: autonomy, independence

cenetta: cosy dinner

Che sorpresa!: What a surprise!

(azione) contemporanea: (action) that takes place at the same time

crescita: growth

dare attenzioni: to be attentive

discorso: conversation

essere nei suoi panni: to be in his/her shoes

fa' come ti pare: do what you like

fare pace: to make up

festa degli innamorati: day of celebration for those in love

importare: to be important

interrotto/a: interrupted

me la sono presa (*inf.* prendersela): I got annoyed, upset

nei guai: in trouble

raggiungere (*p.p.* raggiunto): to join

scarico/a: without charge, flat

soffrire (*p.p.* sofferto): to suffer (from)

spento/a: turned off

squillare: to ring

tenda: tent

MINI TEST

affetto: affection

caos, *il*: chaos

esclamazione, *l'* (*f.*): exclamation

fare un pasticcio: to make a mess

fine, *la*: end

intenso/a: intense

letterario/a: literary

modo verbale: tense

novità, *la*: the latest, the news

omicidio: murder

opera cinematografica: cinematographic production

polizia: police

posta elettronica: electronic mail

(azione) posteriore: (action) that takes place after

profondo/a: deep

provare vergogna: to be ashamed, to be embarassed

simpatia: liking

tastiera: keyboard

usato/a: used

utilizzando (*inf.* utilizzare): using

verbo riflessivo: reflexive verb

SCENARIOS FOR THE ROLE PLAYS

a prova di bomba: indestructible

abisso: abyss

aggregazione, *l'* (*f.*): congregation, gathering

albergo a tre stelle: three star hotel

ambientato/a: set

amico/a intimo/a: close friend

apps (le applicazioni): apps (applications)

avere alle spalle: to have lived through

avere in mente: to have in mind

biglietto aereo: plane ticket

brillante: brilliant

caduta: fall

camera doppia: double room

Catacombe, *le*: Catacombs

complesso/a: complicated

condannare: to condemn

controllato/a: restricted

decisivo/a: decisive

dimensione, *la*: size, dimensions

diretto/a a: headed for

dissidenza: dissidence

dittatura: dictatorship

doloroso/a: painful

dossier, *il*: pamphlet

drago: dragon

effettivamente (*avv.*): truly

esplosivo/a: explosive

fare una bella figura: to look good, to make a good impression

fedele: faithful

ferita: wound

Foro romano, *il*: Roman Forum

giallista, *il/la*: murder mystery writer

giornalino: comic book

grammi, *i*: grams

illegale: illegal

improvvisando (*inf.* improvvisare): improvising

in autobus: by bus

in bianco e nero: in black and white

in fuga: running away

incluso/a: included

innamorato/a cotto/a: head over heels in love

inutile: pointless

investigatore, l' (*m.*; l'investigatrice): investigator

ironizzando (*inf.* ironizzare): being ironic

laguna: lagoon

leggero/a: light

mattino libero, il: free morning

memoria: memory

metafora: metaphor

Musei Vaticani, i: Vatican Museum

narrativa: narrative

offerto/a: offered

partenza: departure

peso: weight

Piazza San Marco, la: St. Mark's Square

poliziotto/a: police officer

Ponte dei Sospiri, il: Bridge of Sighs (famous bridge in Venice)

prendere a pretesto: to use as an excuse

processore, il: processor

promozioni, le: promotions

promuovere (*p.p.* promosso): to promote

raccontato/a: told

ricominciare: to restart

rigido/a: harsh

risoluzione, la: resolution

ritratto/a: depicted

salvezza: salvation

sanare: to heal

scoprirsi (*p.p.* scoperto): to discover oneself

sequestrare: to kidnap

sistema operativo, il: operating system

sistemazione, la: check-in and getting settled

spostarsi: to move

sui 300-350 euro: costing around 300-350 Euros

traghetto: ferry

vale la pena: to be worth

velocità, la: speed

visita guidata: guided tour

volo aereo, il: flight

sui 18 anni: around 18 years of age

conto corrente, il: current account

in vendita: for sale

inferiore: lower

infimo/a: lowest

malissimo (*avv.*): very badly

minore: smaller

moltissimo (*avv.*): very much

pessimo/a: worst

pochissimo (*avv.*): very little

poco (*avv.*): little, few

supremo/sommo: heighest

si dice: it is said

automaticamente (*avv.*): automatically

chiunque: anyone

comportarsi: to behave

comunque: however

dovunque: wherever

in quell'occasione: on that occasion

maturo/a: mature

qualsiasi: any

qualunque: any

tifare: to support

a me piace un sacco: I like it a lot

ce l'ha fatta (*inf.* farcela): took it (photo) for us

Che c'è che non va?: what's the matter (with it)

cinema multisala: multi screen cinema

commercialista, il/la: accountant

comunicare: to comunicate

conoscersi (*p.p.* conosciuto): to know each other

danno il film: they are showing the film

Eccoci!: Here we are!

essere in contatto: to be in contact

fare segno: to make a sign, to gesture

giudice, il/la: judge

grafico/a: graphic designer

impiegato/a bancario: bank clerk

impiegato/a postale: post office clerk

in confronto a: compared to

in particolare: in particular

musicista, il/la: musician

piramide di Cheope, la: Pyramid of Cheops

stufo/a: fed up

via chat: via chatrooms

Index

Index

Audio CD  Index

Prima di... cominciare

Traccia **1**: 1 (1, 2, 3, 4, 5, 6, 7, 8) [1'36"]

Unità 1

Traccia **2**: Prima parte - Per cominciare... 2 [1'42"]
Traccia **3**: Prima parte - B1 (1, 2, 3, 4, 5, 6, 7, 8) [1'49"]
Traccia **4**: Prima parte - C1 (1, 2, 3, 4, 5, 6, 7, 8) [2'12"]
Traccia **5**: Prima parte - C2 [1'03"]
Traccia **6**: Prima parte - C3 [1'25"]
Traccia **7**: Seconda parte - A2 [1'39"]
Traccia **8**: Seconda parte - B1 (1, 2, 3, 4, 5, 6, 7, 8) [1'51"]
Traccia **9**: esercizio 12 [0'32"]
Traccia **10**: esercizio 14 [2'24"]

Unità 2

Traccia **11**: Prima parte - Per cominciare... 2 [1'27"]
Traccia **12**: Prima parte - B1 (a, b, c, d, e) [1'48"]
Traccia **13**: Seconda parte - A2 [1'33"]
Traccia **14**: Seconda parte - B2 (a, b, c, d, e) [0'54"]
Traccia **15**: esercizio 12 [1'02"]
Traccia **16**: esercizio 14 [1'34"]

Unità 3

Traccia **17**: Prima parte - Per cominciare... 3 [1'44"]
Traccia **18**: Prima parte - B1 [1'41"]
Traccia **19**: esercizio 9 [0'42"]

Traccia **20**: Seconda parte - A1 [2'01"]
Traccia **21**: Seconda parte - B2 (1, 2, 3, 4) [0'59"]
Traccia **22**: esercizio 15 [1'34"]

Unità 4

Traccia **23**: Prima parte - Per cominciare... 3 [1'51"]
Traccia **24**: Prima parte - B1 (a, b, c, d, e) [1'12"]
Traccia **25**: Prima parte - C1 [0'50"]
Traccia **26**: Seconda parte - A1 [1'48"]
Traccia **27**: Seconda parte - B1 (1, 2, 3, 4, 5) [1'38"]
Traccia **28**: esercizio 14 [2'25"]

Unità 5

Traccia **29**: Prima parte - Per cominciare... 3 [0'37"]
Traccia **30**: Prima parte - Per cominciare... 4 [1'32"]
Traccia **31**: Prima parte - B1 (1, 2, 3, 4, 5, 6, 7, 8) [1'22"]
Traccia **32**: Seconda parte - A1 [1'55"]
Traccia **33**: esercizio 13 [1'55"]

Unità 6

Traccia **34**: Prima parte - Per cominciare... 3 [0'59"]
Traccia **35**: Prima parte - Per cominciare... 4 [1'59"]
Traccia **36**: Prima parte - B1 (1, 2, 3, 4, 5) [1'29"]
Traccia **37**: Seconda parte - A2 [1'52"]
Traccia **38**: Seconda parte - A4 [0'39"]
Traccia **39**: esercizio 13 [1'12"]

Answers

Prima di... cominciare

1. a. 6, b. 3, c. 1, d. 2, e. 8, f. 7, g. 5, h. 4

2. 1. e, 2. d, 3. b, 4. a, 5. c

3. 1. ero, piaceva; 2. aveva perso; 3. è andata, era andata; 4. studiavano, è arrivato; 5. avevano capito, era

4. 1. d, 2. e, 3. f, 4. c, 5. b, 6. a

5. 1. Le; 2. vi, Ci; 3. la; 4. le; 5. mi; 6. mi, ti

6. 1. Prima di entrare in casa, toglietevi le scarpe; 2. Non aprire la finestra: fa freddo; 3. Domani andiamo al cinema, vieni con noi?; 4. Carla e Laura hanno litigato e non si parlano più; 5. Gira qui a sinistra e poi va' dritto per cento metri; 6. Papà dorme: sta' zitto e non fare rumore; 7. Di' a Paolo che ci vediamo domani; 8. La settimana scorsa ci siamo allenati tutti i giorni

7. 1. (*bicicletta*) *a*, 2. (sciarpa) f, 3. (racchetta) g, 4. (maglietta) e, 5. (telecomando) c, 6. (pianoforte) b, 7. (batteria) d, 8. (fumetto) h

Autovalutazione
Unità 1

1. 1. d, 2. c, 3. e, 4. b, 5. a

2. 1. chitarra, 2. videogioco, 3. mangeremo, 4. stivali, 5. bistecca

3. 1. sarei uscito/a, 2. porteresti, 3. sarebbe diventato, 4. andrebbe, 5. avrebbe partecipato

4. 1. c (protagonista), 2. a (sala cinematografica), 3. d (botteghino), 4. b (locandina)

Unità 2

1. 1. e, 2. b, 3. a, 4. c, 5. d

2. 1. Me la, 2. ce li, 3. gliela, 4. Te lo, 5. ve lo

3. 1. c, 2. b, 3. e, 4. d, 5. f, 6. a

4. 1. b, c; 2. d, f; 3. a, e

Unità 3

1. *Esprimere sorpresa*: 2, 7, 8, 10; *Esprimere incredulità*: 1, 4, 5, 9

2. 1. S, 2. O, 3. O, 4. S

3. 1. Il ragazzo con cui esco si chiama Mario, 2. La casa di cui ti parlavo è di mia nonna, 3. La città in cui ho trascorso le vacanze è Roma, 4. Il computer con cui abbiamo giocato è di Dino

4. 1. figurati, 2. curriculum, 3. facoltà, 4. diventerò, 5. euro, 6. mela

Unità 4

1. 1. e (freddo); 2. c (caldo); 3. b (piove); 4. d (sereno, sole); 5. a (nevicherà)

2. 1. record, 2. Mannaggia!, 3. torta, 4. Sardegna, 5. questo

3. 1. d, 2. c, 3. e, 4. f, 5. b

4. 1. Milano è una città più piovosa di Napoli, 2. Antonio e Marco sono alti quanto Paolo, 3. Le tue valigie sono pesantissime!, 4. Firenze è meno caotica di Roma, 5. Il Po è il fiume più lungo d'Italia

Unità 5

1. 1. c, 2. f, 3. a, 4. e, 5. b, 6. d, 7. g

2. 1. andremmo, 2. dischi, 3. finiate, 4. Napoli, 5. furbo

3. libro, bellissimo, fumetto, e-book, il più grande; fantasy, giovanissima, romanzo, libreria, leggere

4. 1. ha telefonato, 2. abbia pensato, 3. possa, 4. è, 5. vi siete divertiti, 6. vi siate divertiti

Unità 6

1. 1. b, 2. d, 3. a, 4. c

2. 1a. si legge meno che in passato, 1b. si legga meno che in passato; 2a. diventi un film di successo, 2b. è/era diventato un film di successo; 3a. preferisce giocare al computer, 3b. preferisca giocare al computer

3. 1. b (western), 2. c (marinaio), 3. a (rubare)

4. 1. a, c, b; 2. b, c, a

Conosciamo l'Italia 1. 1. b, 2. b. 3. c, 4. c, 5. b, 6. a, 7. a, 8. b, 9. c, 10. e, 11. c, 12. b

Minitest
Unità 1

Across: 1. poliziesco, 3. pazienza, 5. idea, 6. simile, 7. Benigni, 9. vorrei, 10. penso, 11. parlerebbe

Down: 2. condizionale, 3. piacerebbe, 4. film, 8. sogno

Unità 2

Across: 1. università, 4. sincero, 5. medicina, 6. gliela, 7. niente, 8. laurea, 9. ne

Down: 2. innamorati, 3. te, 4. scusa, 6. gliele

Unità 3

Across: 5. va', 6. che, 7. giro, 8. grave, 10. digitare, 11. credo

Down: 1. email, 2. impossibile, 3. tecnologico, 4. incredibile, 5. vergognarsi, 9. quelli

Unità 4

Across: 5. turistico, 7. di, 10. bellissima, 11. Roma, 12. Duomo

Down: 1. caotico, 2. meno, 3. Firenze, 4. più, 6. Sicilia, 8. inizio, 9. quanto

Unità 5

Across: 3. rivista, 8. indicativo, 10. siete, 11. modo, 12. recensione

Down: 1. libraio, 2. sia, 4. abbiate, 5. fastidio, 6. mondo, 7. siate, 9. come

Unità 6

Across: 5. panni, 6. avresti, 8. febbraio, 9. mangeremo, 10. bugiardo, 11. amicizia

Down: 1. amore, 2. bene, 3. Valentino, 4. litigare, 5. piccioncini, 7. tengo

Vi aspettiamo in *The italian project 2b*

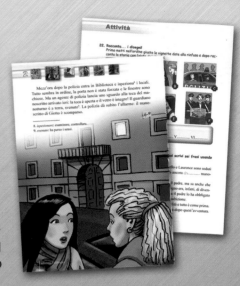

The *Primiracconti* series, graded reading for foreigners

Il manoscritto di Giotto (A2-B1)

Who has stolen the manuscript? The theft of a priceless document, a thesis on painting that goes as far as to reveal a secret linked to the great artist Giotto, rocks the lives of the young protagonists in the story: is the culprit one of them? The police seem to think so and the evidence certainly points that way. Only the friendship that bonds the teenagers together and the painstaking investigation by Inspector Paola Giorgi will solve the mystery.

Il manoscritto di Giotto is available with or without an audio CD and has a section packed with stimulating activities, the answers to which are provided in the Appendix.

ISBN 978-960-693-017-1 (Libro)
ISBN 978-960-693-014-0 (Libro+CD audio)

I verbi italiani per tutti

This book uses a "multimedia" approach to present around 100 of the most commonly used Italian verbs. It provides the conjugation of each verb in all the tenses and moods, clearly presented in two easy-to-read, coloured tables. Every verb is also accompanied by an illustration that presents it being enacted, and students can even listen to how the conjugated verb is pronounced by going online.

Furthermore the book contains a comprehensive Appendix with more irregular verbs, a list of verbs with the prepositions they require, and a multilingual glossary (English, French, Spanish, Portuguese and Chinese).

ISBN 978-960-7706-76-8

Via della Grammatica for English speakers (A1-B2)

This book provides valuable support to *Progetto italiano Junior 1*, 2 and 3. the book contains 40 units, practice activities and self-assessment test - all in full colour. Each unit uses simple language and numerous examples to address one or more aspects of grammar, before providing activities that are stimulating and fun.

Vocabulary is introduced gradually and authentic texts, on a variety of cultural, literary or everyday topics, offer students the chance to enrich and deepen thier knowledge of Italy.

The book includes the answers, which are undoubtedly a necessary element for self-teaching and assessment.

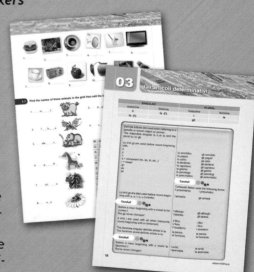

ISBN 978-960-693-050-8

Progetto italiano Junior Multimedia Interactive Whiteboard Software.

The *Progetto italiano Junior* multimedia interactive whiteboard software makes it possible to use all of the following:
- the Student's book in interactive form;
- the audio recordings of the dialogues and interviews (available at normal speed and slowed down);
- the *Progetto italiano Junior Video* episodes;
- comic strip stories also in dynamic mode;
- the online activities;
- games;
- a programme for the creation of personalised activities;
- the Teacher's Guide.

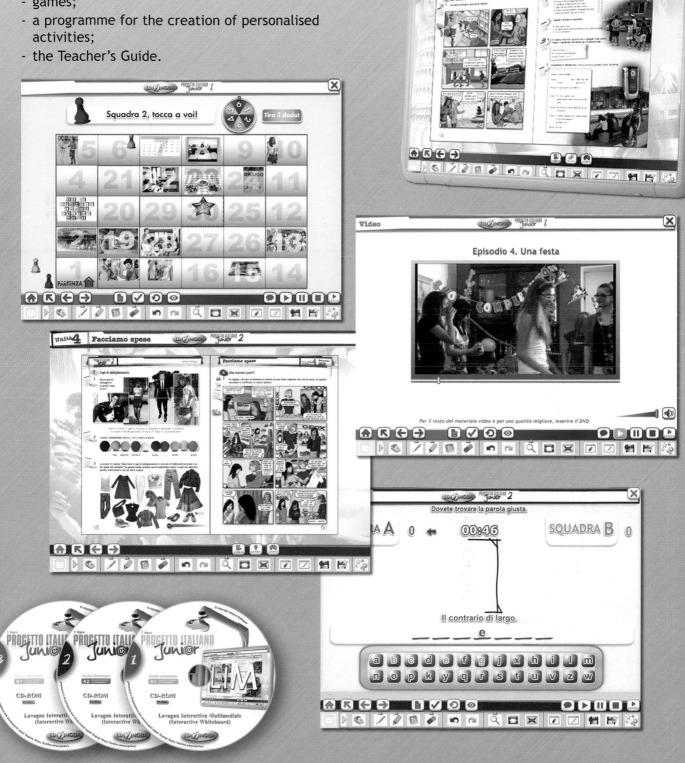

idee.it
italiano-digitale-edizioni-edilingua

The first platform for students, teachers and schools of Italian.
Simple. Effective. Free.

Go to www.i-d-e-e.it **where you will find:**

Your interactive Workbook!

You can practice when and where you like, using your computer, tablet or smartphone and receive immediate feedback and your answers automatically corrected.

A range of digital tools

Voice recorder, dictionary, glossaries, calendar, interactive grammar, messages etc.

A worldwide student community

Making new friends who are studying Italian like you is easy.

Large amounts of extra interactive material

Video clips, audio recordings, tests and games created by your teacher, the class blog and much more.

To use the platform, go to www.i-d-e-e.it and enter **the code** you find on the right.